Hélène .

HARCELÉ-HARCELEUR

Une histoire de souffrance
et de silence

JC Lattès

Couverture : Didier Thimonier
Photo : Olivier Culmann/Tendance Floue

ISBN : 978-2-7096-4618-5

« On est de son enfance
comme on est d'un pays. »

ANTOINE DE SAINT-EXUPÉRY

PROLOGUE

Le harcèlement à l'école, au collège et au lycée fait l'objet d'une définition précise : il s'agit d'une violence répétée qui peut être verbale, physique ou psychologique. Il est le fait d'un ou plusieurs élèves qui s'en prennent à un seul mis hors d'état de se défendre. Il procède d'un mécanisme qui se met en place insidieusement à l'encontre de l'enfant visé.

Le harcèlement touche 10 % de la population scolaire, dont 5 % est très gravement atteinte. Une fois sur quatre l'élève harcelé se tait. Les proportions sont les mêmes dans tous les pays développés. Il est aussi répandu en Île-de-France qu'en province, aussi fréquent dans les établissements privilégiés que dans les établissements défavorisés. Il n'a rien à voir avec le milieu social ou culturel. Il n'est pas possible d'expliquer le statut d'agresseur ou de victime d'un élève comme la conséquence de mauvaises conditions socio-économiques. Ce que le harcèlement met en

jeu échappe aux analyses psychologiques et sociologiques habituelles.

Le harcèlement à l'école a des conséquences désas-
treuses sur la vie des élèves qui y sont confrontés.
Avec l'utilisation d'internet et des réseaux sociaux,
il prend aujourd'hui une ampleur nouvelle. Il revêt
des aspects différents en fonction de l'âge et du sexe.
Les risques sont plus grands entre huit et seize ans.
Au collège, la stigmatisation peut porter sur le
genre (garçon jugé trop féminin, fille jugée trop masculine) et sur l'orientation sexuelle réelle ou supposée.
À l'adolescence, les filles sont particulièrement
exposées au harcèlement sexuel, au sexisme ainsi
qu'au cyberharcèlement. Elles participent activement
à la propagation de rumeurs, tandis que les garçons
sont davantage victimes de harcèlement physique
– encore que cela ne soit en rien systématique.

Au collège, à l'âge où les autres deviennent une
référence incontournable, le jeune harcelé exclu du
groupe, ostracisé, se vit comme un paria, un anor-
mal. Quelque chose lui échappe, mais quoi ? Il a
l'impression d'être dans un western où les balles
fusent sans pouvoir en distinguer l'origine. Il n'est
pas comme les autres puisqu'il est seul, le nombre
faisant loi. Il doit y avoir une évidence qu'il ignore
pour être ainsi désigné comme le souffre-douleur de

tout un groupe. Il est différent, ça se voit, ça crève les yeux, ça tombe sous le sens puisque ça dure depuis des semaines et qu'ils se sont ligués contre lui sous l'impulsion d'un seul qui semble avoir raison puisque tous le suivent.

Peut-être, au début, le harcelé peut-il croire au malentendu. Mais quand on change d'école et que ça recommence, comment ne pas se dire qu'on n'est pas normal, puisque tous sont d'accord ?

Il y a sûrement des raisons, des raisons qui lui échappent. Plus il cherchera à se rapprocher des autres plus il sera rejeté. Comment comprendre ce phénomène ?

1.

FRÈRES ENNEMIS

Léo et Louis, deux copains de maternelle

Léo a neuf ans, il est en CM1. Jusqu'en CE2 tout va très bien pour lui, il habite un joli pavillon en Île-de-France avec un petit jardin. Son école est toute proche de la maison ; il y va à pied tous les matins avec sa petite sœur Alice, leur mère les y accompagne. Léo est un très bon élève, un petit garçon discret, doux et attentionné avec ses frère et sœur dont il est l'aîné. À la maison, il passe beaucoup de temps à dessiner, il est doué pour cela, plus tard il veut être « designer » de voiture. Il parle souvent de son copain Louis avec lequel il est en classe depuis la maternelle.

À partir du CE2, les notes de Léo, jusque-là excellentes, se mettent à baisser : de 17 de moyenne il passe insensiblement à 14. Rien de catastrophique. Dans un premier temps, ses parents attribuent cela au fait qu'il a deux maîtresses au lieu d'une. Il a « *le nez en l'air et il manque de concentration* », dit l'institutrice. Pas de quoi alarmer ses parents qui ont toujours trouvé Léo rêveur comme son père. Mais, au fil de l'année scolaire, le comportement de Léo se met à changer, il devient de plus en plus agressif avec son petit frère. Il donne des coups, ce qui n'était pas son habitude. Il dit souvent qu'il n'aime plus l'école, et lorsque sa mère lui demande pourquoi, Léo répond que Louis l'embête – pourtant, Louis est son copain de toujours.

Son père lui conseille alors de ne pas se laisser faire et d'avertir la maîtresse. Mais Léo se met à perdre ses affaires. Un jour, il revient à la maison sans son cahier de textes ; ses parents le grondent et le punissent. Quelques semaines plus tard, Léo découvre son cahier de textes caché dans le bureau de Louis. Il attendra longtemps avant d'en informer ses parents.

Quand viennent l'été et les vacances en famille, Léo retrouve un peu de sérénité, loin de l'école. À l'approche de la rentrée cependant, il montre des signes d'inquiétude ; ce qui n'était jamais arrivé pendant les vacances précédentes.

Dès son entrée en CM1, cela recommence de plus belle : Léo ne cesse de répéter qu'il n'aime plus l'école, que Louis l'embête tout le temps. Il se fait punir plusieurs fois injustement à cause de lui, mais il n'ose pas le dénoncer à la maîtresse. Lorsque les parents de Léo prennent rendez-vous avec l'institutrice, qui est aussi la directrice de l'école primaire, celle-ci minimise les faits et parle d'enfantillages.

Les semaines passent et la moyenne de Léo chute brutalement. Il a eu 2 sur 20 en maths ; du jamais vu ! Avant les vacances de la Toussaint, le père de Léo croise Louis à l'école : « *Écoute, Louis, je ne sais pas ce qui se passe avec Léo ; vous étiez de bons copains, si jamais tu ne t'entends plus avec lui, vous jouez chacun de votre côté et puis voilà, tu laisses Léo tranquille !* » « *Oui* », répond Louis. Le père a dit cela sans aucune brusquerie : « *C'est un enfant, je voulais juste lui faire comprendre.* »

Un jour de décembre, alors qu'il passe pour déposer son dernier fils à la maternelle, vers 13 h 30, le père aperçoit Léo et sa sœur en pleurs dans la cour, Louis est à proximité avec deux ou trois autres petits garçons. Ni une ni deux, le père entre dans l'école, calme ses enfants et revient le soir même demander des explications à l'institutrice. Sur la défensive, celle-ci lui répond qu'elle n'est pas responsable des enfants à cette heure-là. Le père insiste : « *Je viens juste vous dire que j'avais déjà signalé des problèmes avec le petit Louis l'année dernière et que ça continue ; je ne veux pas que ça se reproduise.* »

17

À la suite de cet événement, les parents prennent rendez-vous chez une psychanalyste avec laquelle Léo va se sentir suffisamment en confiance pour pouvoir raconter son calvaire :

En classe, dès que la maîtresse a le dos tourné, Louis et les garçons de sa bande le pincent, lui tirent les cheveux, gribouillent ses cahiers. Ils lui cachent systématiquement ses affaires, font disparaître son stylo, se lancent sa trousse entre eux, lui cachent son blouson... Tous les mardis, à la cantine, ils arrivent comme un seul homme, l'isolent dans un coin, l'encerclent et le bousculent violemment. Ils insultent sa famille : « *Ta famille, c'est de la merde, ton père c'est un gros bouffon, un gros con.* »

Quand il rencontre la psychanalyste, cela fait déjà un an que Léo subit quotidiennement les brimades, les coups, les insultes et les intimidations. La psy met alors des mots sur ce qui arrive : « *Votre fils subit depuis plusieurs mois des violence physiques et psychiques répétées qui le mettent à mal, c'est du harcèlement.* »

Catastrophés, les parents se sentent coupables. Comment ont-ils pu ne rien voir, ne rien comprendre, alors que cela crevait les yeux ? Ils avaient bien perçu qu'il se passait quelque chose à l'école, ils avaient bien remarqué les changements d'humeur et d'attitude de Léo, ils avaient pris au sérieux la baisse des notes, mais là ils tombent des nues. Comment est-ce possible ? Comment le copain de petite section de leur fils, si mignon, si sympa, pouvait-il faire cela ? Avec Léo, Louis souffle le chaud et le froid, un jour copain-copain, il récolte ses confidences dont il se sert le lendemain contre lui. Léo s'est fait piéger, et il est devenu peu à peu le souffre-douleur d'un petit clan mené par Louis. Les parents n'ont rien vu venir, Léo est pris dans un engrenage.

Pourtant, il avait dit et répété à sa mère qu'il n'aimait plus l'école, que les autres n'étaient pas gentils avec lui, que la maîtresse ne l'écoutait pas quand il tentait de lui dire ce qu'il endurait en classe. C'est la chute des notes qui a incité les parents à prendre rendez-vous avec une psy pour demander des tests de concentration. Finalement, il n'y a pas eu de tests. Dès la deuxième séance, Léo a pu dire à la psy ce qu'il n'avait pas osé confier à son père de peur qu'il ne se fâche contre Louis et le gronde. *« Il voulait protéger celui qui le harcelait, son attitude était contradictoire »*, raconte le père, choqué.

La mécanique du harcèlement

Pourquoi et comment, sans raison apparente, dès la rentrée en CE2, Louis se met-il à maltraiter systématiquement Léo, à le poursuivre de ses injures, à le bousculer, à lui prendre ses affaires, à le malmener sans cesse alors qu'ils jouaient ensemble tous les jours depuis quatre ans ? Du jour au lendemain, Louis, le compagnon de jeu, se transforme en ennemi. Léo, qui a confiance en son entourage et qui est dans l'empathie avec les autres, est désarçonné par cette agressivité inattendue, par cette violence qui surgit sans crier gare et qui ne lui est pas du tout familière.

Comment Léo, un garçon agréable, ouvert, autonome, épanoui à la maison comme à l'école, et bon camarade, peut-il se laisser piéger jusqu'à devenir la victime d'une petite bande ralliée contre lui par Louis, son copain de maternelle ? Que s'est-il passé ?

Pour Léo, c'est le choc, la perplexité, l'incompréhension. Le revirement est pour le moins troublant. Face à Louis, tantôt agressif, tantôt amical, il ne sait plus quelle attitude adopter.

Dans un premier temps, au dire d'Alice, sa petite sœur, Léo ne s'est pas laissé faire. Tout seul face à Louis, il n'a pas peur de se défendre, mais quand les autres foncent sur lui à plusieurs, l'affaire devient ardue. Pourquoi ne demande-t-il pas l'aide des adultes qui surveillent la récréation ou celle de la maîtresse pendant le cours ? Réticence à dénoncer ? Peur des représailles ? Espoir que les choses s'arrangent ? Désir de renouer à tout prix avec celui qu'il appelle toujours « *son copain* » et dont l'attitude changeante laisse croire à la reprise d'une saine camaraderie ? Au lieu de réagir, Léo se tait.

Il essuie en silence les moqueries, les brutalités et les brimades quotidiennes. Il serre les dents, il attend que ça passe. Mais, peu à peu, seul contre tous, Léo perd sa bonne humeur, sa joie de vivre, il traîne les pieds le matin pour aller à l'école et souffre en secret. À la maison il se venge sur son petit frère, devient agressif et bougon. En classe, il n'arrive plus à se concentrer, il est *« toujours dans la lune »*. Léo éprouve une profonde tristesse et une grande frustration à ne plus pouvoir jouer avec les autres qui le rejettent ; la peur et la honte s'emparent de lui. Méconnaissable à la maison en tant que fils et en tant que frère, méconnaissable à l'école en tant qu'élève, il ne se reconnaît même plus lui-même. Ses repères familiers vacillent, ce qui redouble son sentiment de solitude. Seul et abandonné de tous, en porte à faux, il se sent incompris et coupable. Il n'a plus confiance en lui et devient renfermé et taciturne. Soumis au stress répétitif, il se retrouve isolé, exclu, atteint dans son être, dans ses racines, dans son identité. Le piège s'est refermé.

Lorsqu'un enfant est régulièrement battu, humilié, bousculé ou moqué, comme c'est le cas pour Léo, le harcèlement est avéré.

Que se passe-t-il du côté de Louis ?

Comment comprendre ses mouvements répétés d'attirance et de rejet à l'égard de Léo, son copain de toujours ? Louis est-il affecté par un événement familial récent : mort d'un grand-parent, d'un oncle, d'une tante, chômage du père ou de la mère, disputes ou mésententes des parents, arrivée imminente d'un petit frère ou d'une petite sœur… ? De quelle rupture affective sous-jacente souffre-t-il ? Se sent-il insatisfait, mécontent de lui, des autres, de ses parents ? Son agressivité est en tout cas l'expression d'un mal-être dont il se venge sur Léo.

L'enfant Louis est en colère et il le manifeste comme il peut. De quoi est-il mécontent ? « *Ton père c'est un gros bouffon, un gros con.* » Que dit Louis quand il insulte ainsi le père de Léo ? Qu'il aimerait bien avoir ce père, bienveillant, attentionné, fort (le père de Léo est pompier), sécurisant ? « *Ta famille, c'est de la merde !* » Qu'exprime Louis en disant cela ? Qu'il aimerait bien avoir cette famille-là, une petite sœur comme celle-là, un petit frère comme celui-là, des parents comme ceux-là, qui ne le déposeraient pas trop tôt à l'école le matin et qui viendraient le chercher le soir juste après la classe alors que lui, Louis, arrive parmi les premiers et repart toujours parmi les derniers ? Se débat-il avec des journées trop longues, avec des impatiences d'enfant encore immature dont les jambes courent toutes seules et dont les mains cherchent à en découdre ?

Que dit Louis, quand il cache le cahier de textes de Léo dans son bureau ? Qu'il voudrait bien avoir de très bonnes notes comme lui ? Que manifeste-t-il quand il le coince dans un coin avec d'autres copains pour lui taper dessus ? Qu'il ne peut plus le voir ? Qu'il l'envie trop ? Qu'il voudrait sa place ? Qu'il le déteste ? Qu'il voudrait avoir tout ce qu'a Léo, être tout ce qu'il est : bon élève, bon fils, bon frère, bon copain ?

Comment expliquer, alors, qu'il tape Léo, le vole, le malmène, l'insulte ? Comment expliquer que Léo se laisse ainsi faire, alors que, visiblement, il n'est pas de nature peureuse, qu'il est capable de se défendre quand il est seul ?

Le couple harcelé-harceleur : je t'aime, moi non plus

Léo et Louis sont captivés l'un par l'autre, mais il y a entre eux un décalage, un hiatus entre deux modes d'expression, deux façons d'être.

Léo est autonome, sensible et réservé, il a confiance en son entourage. Attentionné envers les autres, il est capable d'empathie, il sait qu'on ne peut pas tout dire, tout faire, qu'on ne peut pas toujours satisfaire son désir. Depuis un moment déjà, il a atteint ce que l'on appelait autrefois l'âge de raison (voir chap. 7).

Louis n'en est pas encore là. Il est plus impulsif et versatile. Il agit à la manière d'un enfant de deux ou trois ans, traversé par le désir de prendre et de faire ; un enfant qui ne dispose pas encore facilement de la parole. Il aurait besoin de parler à quelqu'un pour mettre des mots sur ce qu'il ressent, sur ce qui le traverse. Manifestement, Louis est en colère. Il faudrait tout simplement l'aider à le reconnaître.

Léo est-il trop réservé, trop gentil, trop passif ? Il subit les caprices de Louis et devient le jouet de son agressivité. Il ne fonctionne pas sur le même registre et il n'est pas en mesure d'affronter la violence de Louis. Elle lui est étrangère. Elle lui fait perdre ses moyens, ses repères, et surtout, en insultant sa famille, Louis attaque les fondements de son être.

Entre ces deux-là, il ne s'agit pas d'une simple dispute, d'un différend passager, mais de quelque chose qui se répète, qui dure, qui s'aggrave. Quelque chose reste en souffrance, qui n'arrive pas à se dire, qui revient à la charge à leur insu. Léo et Louis sont pris l'un et l'autre dans un mécanisme qui les dépasse, les enveloppe et les pousse à l'affrontement, et que seule l'intervention des adultes pourra faire cesser.

Ce qui se joue ici entre eux deux n'est pas rationnel. Louis est dans la rivalité. Son amitié se retourne brusquement et violemment en haine, mais cela ne suffit pas à expliquer l'instabilité des sentiments, la versatilité de son attitude, ni la passivité consentante de Léo. Quelque chose d'incontrôlable, comme un vertige saisit Louis : c'est physique, fort, inconnu, indicible. La présence de Léo le met hors de lui au sens littéral du terme, au point qu'il ne peut plus le voir, plus le « sentir ». Le seul moyen dont il dispose alors pour revenir à lui, c'est le rejet ; et la violence de ce rejet est à la mesure de son attirance, elle est comme un réflexe de survie. Il faut s'arracher à Léo comme on s'arrache au vide vertigineux en reculant.

Une chose est sûre, dès qu'il voit Léo, son alter ego, Louis est saisi d'un double mouvement d'attirance et de répulsion, c'est plus fort que lui. Ce mouvement paradoxal est à l'œuvre dans toute relation humaine, mais il apparaît ici, dans toute sa brutalité, sans détour, sans masque, sans mot. De l'agressivité à l'état pur, c'est ce que donne à voir le couple harcelé-harceleur (voir chap. 6 et 7).

Harceleur et harcelé sont donc aussi vulnérables l'un que l'autre, mais ils se comportent de façon diamétralement opposée ; en ce sens, ils forment un couple infernal et passionnel.

Le harceleur est impulsif, impatient, sans pitié. Il prend, il tape, ne parle pas, n'analyse pas, ne se met pas à la place de l'autre. Il ne pense qu'à lui-même et à sa satisfaction immédiate. Il exprime son mal-être en projetant sa hargne sur l'autre, celui qui l'attire ou le révulse alternativement. Celui qui lui est le plus proche, ou qui est à portée de main.

À l'inverse, le harcelé est beaucoup plus soucieux de l'autre ; il perçoit mieux sa souffrance et il est capable de se mettre à sa place. Dans l'affrontement avec le harceleur, il est forcément perdant. Il est d'une nature opposée, souvent plus timide, rêveur, attachant, voire même trop gentil dans certains cas. De ce fait, il n'a pas les mêmes armes pour se défendre et constitue une victime toute désignée. Il est dans certains cas plus autonome, plus mature que ceux de son entourage, mais cela ne fait qu'accentuer son isolement par rapport au groupe, qu'attiser la haine du meneur envers lui.

Harceleur et harcelé, une affaire de couple, la même question en miroir abordée sur un mode actif par l'agresseur et sur un mode passif par l'agressé. Pas question de disculper l'agresseur, mais plutôt de comprendre ce qui se joue pour mieux le déjouer.

Quand parler de harcèlement ?

Il y a harcèlement quand, tous les jours, durant des semaines, des mois, voire plusieurs années scolaires, un groupe d'enfants s'attaque à un seul, désigné arbitrairement comme souffre-douleur. Il ne s'agit pas de quelques altercations sporadiques. Les agressions sont régulières, répétitives et perdurent. Il y a violence parce qu'il y a rapport de force et de domination entre victimes et agresseurs. Le harcèlement est un phénomène de groupe qui place l'enfant dans une situation d'isolement. Et l'isolement et le silence auquel est réduit le harcelé peuvent lui être fatals.

Le harcèlement peut aussi se manifester physiquement : agressions, jets d'objet, bousculades, vols, rackets, menaces, chantage, bagarres organisées par un ou plusieurs harceleurs. Le harcèlement peut être également d'ordre sexuel avec provocations verbales, gestes déplacés, voyeurisme, déshabillage, baisers forcés ou encore « jeux » dangereux effectués sous la contrainte.

Quoi qu'il arrive, le harcèlement a toujours un caractère psychique dans la mesure où il s'attaque à la personne en la dévalorisant et en l'humiliant. Vulnérables et isolés, les harcelés ont du mal à dénoncer leur agresseur – un quart des harcelés n'en parlent pas, ou mettent beaucoup de temps à le faire. Ils se taisent par peur des représailles, bien sûr, mais aussi par honte d'évoquer leur mésaventure, par crainte de ne pas être crus ou soutenus, par volonté de se débrouiller seuls, de ne pas passer pour un « gamin » ou pour une « balance ».

Les risques vont crescendo avec l'âge

À l'école primaire, la victime se sent fautive et pense qu'elle mérite ce qui lui arrive. À l'adolescence, le souffre-douleur retourne l'agressivité contre lui, allant jusqu'à se scarifier ou à tenter de se suicider. *« Le harcèlement prend naissance à l'école primaire, mais il se structure, se développe et se durcit au collège, et particulièrement à l'adolescence, période complexe à négocier dans la mesure où la jeune fille ou le jeune garçon se cherchent*[1]. » Suite logique de l'isolement, le développement scolaire, social, relationnel de l'enfant est totalement perturbé. Il a le sentiment d'être seul, abandonné de tous – par ses camarades et par les adultes qui l'entourent. D'où la nécessité d'intervenir très vite afin d'enrayer le processus et de limiter les dégâts.

---

1. Jean-Pierre Bellon professeur de philosophie sur le site de l'Éducation nationale : agircontreleharcelementalecole.gouv.fr

2.

Les ravages du harcèlement : Julie lunettes

Le bannissement

Dans cette situation de domination collective, il y a toujours un groupe contre un sujet isolé. Plus que l'acte de violence en lui-même, c'est l'isolement et ses conséquences qui sont destructeurs pour la victime. Le harcelé perd son statut, il est relégué au ban de la communauté des élèves. Arraché à ses pairs, il se vit comme dégradé et devient un paria. L'exclusion est alors ressentie comme une déchéance. La victime n'a plus d'existence sociale. Cette violence du bannissement met d'emblée l'agressé dans l'incapacité de se défendre.

Le harcelé n'est pas forcément « faible », il est mis en position de faiblesse par le groupe, ce qui est très différent. Ainsi, certains élèves risquent-ils de se faire piéger, alors même qu'ils avaient jusque-là de bons rapports avec leurs camarades de classe et qu'ils n'étaient pas spécialement en difficulté au départ.

Si le harcèlement dure, le souffre-douleur se retrouve exsangue, en totale perte d'estime de soi, hébété, hagard à force de prendre des coups sans comprendre pourquoi. Il subit moqueries et insultes sur son nom, son prénom, sa famille, son sexe, son apparence, ses facultés, ses centres d'intérêt, sa façon d'être, son appartenance à un groupe social ou culturel particulier… Tout y passe. La victime, sans défense, subit les vagues incessantes d'attaques répétitives qui sapent les bases de son être.

Julie lunettes

Julie s'est fait harceler dès l'école primaire, et cela a continué au collège malgré les changements successifs d'établissement. Elle est fille unique et les premières séparations d'avec sa mère ont été très difficiles, ses parents ont un métier qui les amène à s'absenter souvent. Ils ont beaucoup déménagé durant les trois premières années de leur fille. « *Il y a beaucoup de violence dans notre couple,* raconte la mère de Julie. *Le harcèlement n'arrive pas par hasard, je ne peux pas le séparer de la situation familiale, ça remue des choses…* ». Tout cela n'explique pas pour autant la stigmatisation systématique dont Julie fait l'objet depuis l'école primaire et qui pèse sur elle comme une fatalité.

Au CP, Julie se lie d'amitié avec Rose. Les deux filles s'entendent très bien – aujourd'hui encore, neuf ans après le CP, elles continuent de se voir. Malheureusement, Rose quitte l'école à la fin de l'année scolaire car ses parents déménagent. Julie passe en CE1, mais va subir le contrecoup du départ de son amie. D'autant qu'elle se retrouve en classe avec une autre Julie, que la maîtresse va surnommer « Julie cœur », pour les distinguer l'une de l'autre. Julie quant à elle se voit baptisée « Julie lunettes » – élèves et maîtresses l'appelleront ainsi durant toute l'école primaire.

Très jolie, très bien habillée, « Julie cœur » devient très vite la mascotte de la classe, tandis que notre Julie, moins gracieuse et plus réservée, fait l'objet de moqueries de la part des enfants et devient le repoussoir de sa classe. Elle se referme chaque jour un peu plus et prend l'habitude de s'évader dans la lecture qu'elle affectionne. En cours d'année de CE1, la maîtresse trouve Julie triste. Elle alerte les parents et les incite à aller consulter un psy. Ce qu'ils font.

Au bout de quelques mois, Julie semble aller mieux. Mais en CM1, elle s'assombrit à nouveau. Elle pleure tous les jours en rentrant de l'école et finit par lâcher que des garçons se moquent d'elle sans arrêt et la traitent de « mémé ». Les moqueries semblent venir surtout d'un « petit chef » qui mène le groupe de garçons : « *T'es moche, tu ressembles à une grand-mère ! Tu viens mémé ? Tu nous suis l'intello ?* » La mère de Julie tombe des nues, en découvrant que, sur l'initiative malheureuse d'une maîtresse de CP, toute l'école surnomme sa fille « Julie lunettes ». Elle va voir le jeune garçon en question et lui explique gentiment et calmement à quel point Julie se sent blessée par ses moqueries permanentes. Le garçon promet de ne plus recommencer et tient parole. Mais le mal est fait et la blessure profonde.

Désormais, Julie suit un parcours de victime « attitrée ». Comme beaucoup d'enfants très tôt harcelés, elle a intégré qu'elle était le mouton noir, le vilain petit canard, « la fille moche à lunettes », l'intello de service. En enfant obéissante et encore sous influence, elle s'est installée et conformée à la place qu'on lui assignait. Elle a mis du temps à se plaindre et à parler à ses parents. Comment savoir que cela pourrait être autrement puisque c'est comme ça depuis le CP, depuis que la grande école a commencé ? Comment savoir que ce n'est pas de sa faute ? Pourquoi ses parents n'ont-ils rien vu ? « *Je sentais bien que c'était compliqué pour Julie,* raconte sa mère, *mais je n'avais pas mesuré à quel point elle était malheureuse. Elle ne nous parlait pas beaucoup. Elle a toujours eu un côté solitaire, a toujours aimé lire et puis c'est une fille unique, elle a souvent besoin d'être seule. Dans la cour, Julie n'avait pas forcément envie de jouer avec les autres.* »

Quand elle a alerté les parents sur la « tristesse » de leur fille, la maîtresse de CE1 avait remarqué que Julie était très cultivée pour son âge, qu'elle était brillante en classe, qu'il y avait un décalage important avec ses camarades, qu'elle n'était pas du même niveau, ni du même milieu culturel que les autres. La maîtresse avait insisté : « *Dites bien à Julie qu'il ne faut pas qu'elle croie qu'elle n'est pas normale.* » Peine perdue, la différence était déjà devenue « excluante ». La mère de Julie n'a pas compris tout de suite ce qui se jouait pour sa fille : « *Les enfants ne l'intégraient pas telle qu'elle était, elle faisait comme elle pouvait, et les regardait de haut. Très tôt, dès le CP, elle s'est enfermée dans cette attitude et elle avait la sensation que c'était de sa faute. Pire, elle avait l'impression que je la tenais pour responsable de cette situation. Elle me l'a reproché par la suite.* »

Ce statut de harcelée perdure au collège. En 6e, Julie retrouve ses camarades de primaire et les vexations continuent.

En 5e, Julie change de collège et passe dans le privé ; le niveau est meilleur, mais les choses empirent. Julie est trop différente, trop décalée. Son extrême réserve lui donne un air distant. Très bonne élève, pas très bien habillée, Julie aime encore les jeux d'enfants tandis que les autres, déjà pubères, passent leur temps à faire du shopping, à écouter de la musique et à lorgner les garçons : « *Moi, je ne sais pas quoi leur dire, quoi leur raconter* », explique Julie à sa mère. « *Julie peut être maladroite dans son rapport aux autres*, précise sa mère, *elle n'a pas conscience de certains jeux de pouvoir, ne sent pas toujours que sa tête de bonne élève dépasse trop, qu'il faudrait faire profil bas et ne pas intervenir en classe.* » Au collège, ce genre de différences et de décalages ne pardonnent pas. Elle se fait « jeter » d'emblée, les garçons l'insultent et les filles se déchaînent contre elle. Elle attire leur violence comme un paratonnerre la foudre. Julie tente de réagir et de se défendre comme sa mère lui conseille de le faire, mais les autres s'organisent et se vengent. Ils font croire au professeur que Julie refuse de travailler en équipe pour un exposé et qu'elle « se la joue perso ». Julie se fait punir.

Un mercredi, la petite bande de filles lui proposent de venir faire les magasins avec elles ; elles lui donnent rendez-vous dans la rue avec un numéro de téléphone pour les joindre. La mère de Julie prend son après-midi pour l'accompagner. Elles arrivent à l'adresse indiquée, mais personne n'est là. Julie appelle ses camarades, mais c'est un mauvais numéro. Après deux heures d'attente, Julie et sa mère se résignent à rentrer. Le lendemain, les filles lui reprochent le rendez-vous manqué et redoublent de malveillance. Ce soir-là en rentrant de cours, c'en est trop. À douze ans, dévastée par la perversité des attaques systématiques des filles de son école, Julie enjambe la balustrade de la cage d'escalier et saute du troisième étage de son immeuble. Elle évite le pire de justesse, elle rebondit sur la rambarde et s'en tire miraculeusement.

Après cette tentative de suicide, Julie se retrouve dans une structure pour adolescents à Marseille[1]. À partir de ce moment, les choses vont changer. La rencontre avec le psychiatre responsable de l'antenne va être déterminante pour Julie et ses parents : « *Il était ouvert et bienveillant, extrêmement vivant. Il posait des questions précises, carrées. Il nous a demandé, notamment, pourquoi nous n'étions pas intervenus davantage auprès*

---

1. L'Espace Méditerranéen de l'Adolescence à Marseille créé par le pédopsychiatre Marcel Rufo.

37

des maîtresses en primaire, puis auprès des professeurs au collège. Il a insisté sur le fait que ce qui se passait pour Julie, ce que les autres lui faisaient subir était inadmissible. » Surtout, il explique à Julie et à ses parents que ce qu'elle endure depuis des années a un nom, une définition précise, que cela s'appelle du « *harcèlement* ».

Le mot énoncé va permettre à Julie et ses parents de sortir de la confusion, du chaos « innommable » dans lequel ils se débattent tous les trois depuis si longtemps, se croyant seuls fautifs de ce qui arrive : « *Avant, l'histoire du harcèlement, je ne le nommais pas comme ça, c'est pour ça que la parole du psychiatre à l'hôpital m'a fait du bien parce que finalement, pour moi le comportement des autres à l'école, puis au collège à l'égard de ma fille, me paraissait normal. Pour moi, c'était comme ça. Je pensais que c'était Julie qui avait du mal à s'adapter à un univers social trop dur pour elle parce que je l'avais trop protégée.* » Enfin la perspective s'inverse ; tout bascule et s'ordonne, tout redevient possible.

Transmission d'un malaise

Il n'y a plus seulement une fille incapable de s'adapter aux autres à cause de parents fautifs, il n'y a plus Julie et ses parents seuls face à la dureté du monde. Il y a Julie et les autres, les autres et Julie. Il y a Julie la victime et ses harceleurs dont l'attitude est inacceptable et répréhensible. On ne peut pas se laisser traiter ainsi et on ne peut pas laisser traiter ainsi sa fille sans se défendre, sans réagir, en s'accusant de tout. À partir du moment où le psychiatre met des mots sur la situation et reconnaît ce qui se passe, Julie et ses parents peuvent s'autoriser à prendre une position et à tenter de comprendre pourquoi leur fille s'est retrouvée systématiquement dans le rôle de victime. Pour sortir de cette situation encore fallait-il savoir qu'ils s'y trouvaient. Les parents décident alors de suivre une thérapie de couple : « *Si Julie a tenté de se suicider, c'est que nous y sommes pour quelque chose*, explique sa mère, *il était nécessaire, pour nous, qu'elle sache qu'on se sentait impliqués dans cette histoire et que nous engagions un travail nous aussi, comme elle en avait commencé un elle-même, avec un psy. Finalement il y a des choses qui se remettent en route, c'est très bien, même si notre histoire est quand même très douloureuse. C'est violent, ça remue, mais la vie se remet en mouvement, quelque chose est en chemin de mon histoire, que je ne peux détacher de celle de Julie.* »

Les difficultés que rencontre Julie avec ses camarades, le rejet qu'elle suscite ou que même elle attire, pourrait-on dire, entrent en résonance avec sa constellation familiale, chacun, père et mère, ayant eu affaire à ce genre de désaccord avec les autres. Rapports compliqués des parents avec l'autorité que représente l'école. Violence d'un père lui-même harcelé à l'école, culpabilité d'une mère pour qui la séparation est douloureuse. Qui alors a du mal à se séparer, Julie ou sa mère ? Qui a du mal avec les autres, Julie ou ses parents ? Porosités psychiques, projections, contagions, transferts… Ces inconscientes confluences, ces correspondances de psyché à psyché, accrochent en Julie l'agressivité d'autres « harceleurs », eux-mêmes en proie à d'infantiles démons. Il est important alors, non pas de traquer indéfiniment « *ce que l'on aurait mal fait, ou pas fait, ou trop fait* », en tant que parents, mais plutôt d'aller voir du côté de sa propre enfance et d'en remonter le cours, de reprendre pied dans son histoire pour ne pas parasiter l'enfant avec la sienne, pour l'alléger de certaines hantises qui l'empêchent et le livrent pieds et poings liés et à son insu aux émotives fluctuations du premier venu.

En travaillant sur leur couple et sur leur histoire personnelle, les parents de Julie dégagent leur fille de leurs propres peurs, de leurs inquiétudes, de l'« infantile » qui les harcèle, de ce passé qui se répète. Le délétère « bégaiement » du harcèlement est ici l'occasion de s'émanciper en parlant, de dénouer, de relier, de se placer, de se déplacer pour ne pas prendre la violence de front et trouver la parade au regard qui tue. Tel le rusé Persée de la mythologie qui réussit à pétrifier Méduse grâce à son bouclier.

3.

LE CYBERHARCÈLEMENT

Le harcèlement a toujours existé, mais avec le développement des nouvelles technologies et des réseaux sociaux, il prend des proportions spectaculaires. Les conséquences sont alors plus graves et immédiates pour l'enfant ou l'adolescent pris pour cible, car les agresseurs poursuivent leurs victimes en dehors des murs de l'école et pénètrent jusque chez elles. Messages injurieux ou menaçants par sms ou courrier électronique, chat, forums, propagation de rumeurs par téléphone mobile ou par internet, envois de photos sexuellement explicites ou humiliantes ou encore vidéos de la victime en mauvaise posture diffusées sur les réseaux sociaux. Tout est bon pour nuire, tourner en ridicule et propager des rumeurs à son propos. La diffusion de ce type d'informations nocives est massive et instantanée, il est très difficile d'en reprendre le contrôle. On parle alors de cyberharcèlement.

Le cyberharcèlement se définit comme « un acte agressif, intentionnel, répétitif, perpétré par un individu ou un groupe d'individus au moyen de formes de communications électroniques, à l'encontre d'une victime qui ne peut pas facilement se défendre seule[1] ».

Le cyberharcèlement va souvent de pair avec le harcèlement à l'école dont il amplifie les conséquences, il offre une cour de récréation virtuelle aux agresseurs qui traquent leur proie jusque dans leur intimité, sans répit, 7 jours sur 7, 24 heures sur 24. L'enfant harcelé est alors partout menacé, il n'a plus aucun espace de vie protégé, il est plongé dans un état d'insécurité permanent et se sent de plus en plus fragilisé.

Grâce à son pseudonyme, le harceleur peut ne jamais se dévoiler, ce qui augmente l'angoisse de l'enfant poursuivi. De plus, les contenus diffusés peuvent demeurer en ligne, même si le harcèlement cesse. En France, près de 90 % des jeunes entre neuf et seize ans utilisent internet, 80 % ont un profil Facebook.

---

1. Cf. site de l'Éducation nationale : agircontreleharcelementalecole. gouv.fr

Le cyberharcèlement est extrêmement répandu, il est même devenu l'arme idéale du harceleur pour étaler la vie privée de sa victime en place publique et la clouer au pilori à la vitesse de la lumière[1]. Les filles sont trois fois plus nombreuses à se faire harceler sur internet et les garçons se disent plus souvent harcelés par téléphone portable.

Sophie, un cas typique de cyberharcèlement

Sophie a treize ans, elle habite dans la proche banlieue lyonnaise, un quartier calme et vert. Elle est libre, spontanée et sociable, elle s'entend plutôt bien avec ses parents. Dans la semaine chacun a sa vie, le week-end tout le monde se retrouve en famille. Les parents de Sophie reçoivent souvent des amis dont elle connaît bien les enfants et dont elle se sent proche. Elle est en 4ᵉ, bien intégrée au collège, pas de problème scolaire particulier. Elle mène la vie typique d'une jeune fille de son âge, écoute beaucoup de musique, fait de la danse, adore par-dessus tout voir ses copines et passe beaucoup de temps à échanger sms, mails, photos et vidéos.

---

1. Contrairement au harcèlement traditionnel, le cyberharcèlement augmente avec l'âge : les plus concernés sont les 13-16 ans.

À partir de la 6ᵉ, ses parents lui ont acheté un téléphone portable pour pouvoir la joindre facilement lors de ses allées et venues. Depuis, elle reçoit des dizaines de sms par jour et en envoie tout autant. Elle compte pas mal « d'amis sur Facebook », elle possède un ordinateur portable. En 5ᵉ, Sophie s'est inscrite sur Ask, un réseau très prisé des adolescents et moins accessible aux parents trop curieux qui voudraient pister la vie de leur ado. Ask offre la possibilité de l'anonymat, ce qui fait sa différence avec d'autres réseaux sociaux et autorise garçons et filles à se lâcher en posant toutes les questions qu'ils n'oseraient pas poser habituellement.

En 5ᵉ, Sophie sort avec un garçon qu'elle quitte au bout de quelques semaines pour un autre. Elle se met alors à recevoir des insultes anonymes sur son nouveau réseau : « *J'avais fait la connaissance d'un nouveau garçon, je pense que les copains de mon ancien ami ne l'ont pas supporté et que c'est eux qui m'ont insultée, mais j'en suis pas sûre.* » Au début, Sophie n'y prête pas trop attention, mais bientôt ses copines commencent à croire les rumeurs qui circulent sur son compte : « *Elle lui a fait du mal, du coup on ne peut plus traîner avec elle.* » Ses copines lui tournent le dos et ne lui disent plus bonjour le matin au collège. La rumeur enfle, les messages anonymes se font de plus en plus nombreux, de plus en plus agressifs. Sophie supporte de plus en plus mal ces insultes : « *Grosse pute, t'es qu'une grosse salope. Tu fais du mal à tout le monde, des trucs comme ça... Il y avait aussi des choses comme : elle couche... Des histoires puériles qui font des embrouilles. Il y en avait tous les jours et de plus en plus. Je ne savais plus quoi faire. J'en supprimais certains, je répondais à d'autres pour tenter d'expliquer la gravité des accusations, leur dire qu'ils n'avaient aucune pitié.* » Esseulée, ayant perdu tout crédit auprès de ses amis, Sophie est blessée : « *Ça me touchait de plus en plus, c'était de plus en plus dur à recevoir, à la fin je n'en pouvais plus de prendre sur moi.* » Jusqu'au jour où elle lit le message de trop : « *Va te pendre !* »

Sous le choc, elle imprime tous les messages qu'elle avait gardés et les montre à ses parents qui vont aussitôt porter plainte à la gendarmerie : « *Je leur faisais confiance, ils allaient me protéger, Je ne pouvais pas rester seule avec ça.* »

« *Ça m'a beaucoup étonnée qu'elle se livre ainsi*, raconte la mère de Sophie, *d'habitude elle ne parle pas de ce qui se passe au collège et avec ses amis, elle devait vraiment se trouver en détresse et ne plus savoir comment faire pour en arriver là. L'année précédente en 5ᵉ, j'avais l'impression qu'il y avait beaucoup d'histoires autour d'elle par rapport aux garçons et des rivalités, je sentais bien qu'il y avait des petits soucis au collège*

47

que ça se ressentait sur la scolarité, mais je ne savais pas que ça en était là. Lorsqu'elle nous a montré le document avec les insultes, on est tombé de haut. Je n'en suis pas revenue, c'était énorme. La première réaction de mon mari a été de porter plainte ; ne serait-ce que pour lui montrer qu'on était là et qu'elle pouvait compter sur nous. Ça lui a fait du bien de nous le dire et elle m'a demandé de lui prendre rendez-vous chez un psy pour en parler. Peut-être que son ego en a pris un coup, je ne sais pas... Ou alors sa confiance dans les autres... Ça l'a beaucoup touchée, l'idée que quelqu'un du collège ait pu dire cela et de ne pas savoir qui c'était. »

L'histoire de Sophie est très courante et elle est exemplaire dans la mesure où Sophie a pu parler. Elle avait suffisamment de maturité et d'autonomie psychique et assez confiance en ses parents pour les appeler à l'aide quand elle a senti qu'elle ne pouvait plus faire face toute seule. Ses parents se sont montrés à la hauteur de cette confiance, ils ont réagi vite et de façon avisée, en s'adressant à la gendarmerie, une instance tierce.

Sophie a pu retrouver ses amies assez vite : « *Elles se sont rendu compte que c'était juste des personnes qui créaient des embrouilles et elles ont vu que c'était faux.* » Elle leur a conseillé de supprimer leur compte ayant maintenant la preuve « *que c'était dangereux et débile* ». Sur une quinzaine de copines, seules quatre l'ont fait, les autres gardent leur compte : « *Elles disent que ce n'est pas la peine, parce qu'elles n'ont pas eu d'insultes et aussi parce que les questions peuvent être intéressantes ou rigolotes.* » Sophie s'était inscrite « *parce que tout le monde y allait* ». Et elle aussi trouvait « *rigolotes* » les questions sur ses amis. « *Elles peuvent surtout être blessantes, mais ça je m'en suis rendu compte trop tard* », ajoute-t-elle.

Comment aider son enfant à faire ses premiers pas sur internet ?

Les enfants accèdent à internet vers neuf ans en moyenne, et cette moyenne ne cesse de baisser. De plus en plus tôt, l'enfant possède un téléphone portable, un ordinateur ou une tablette. Le cyberharcèlement est de ce fait un risque, d'où la nécessité pour les adultes d'être vigilants et d'accompagner son enfant dans le cyberespace. Les premiers adultes à prodiguer aide et conseils en matière de sécurité sont les parents dans 60 % des cas. De même qu'on ne lâche pas d'un seul coup un enfant qui apprend à marcher, de même on ne peut laisser sa progéniture faire ses premiers pas sans garde-fou dans le cyberespace, même s'il ne demande que ça et qu'il semble parfaitement à l'aise dans ce monde virtuel.

À voir un enfant vissé sur le canapé en train de naviguer sur le Net ou en train de jouer tranquillement des pouces pour envoyer des sms sur son téléphone portable, on peut se dire qu'il n'y a pas péril en la demeure, qu'il est mieux là qu'à « traîner » loin du regard, qu'il a l'air concentré et actif, qu'il vit de plain-pied avec son temps. *« Ce sont des activités ludiques qui lui permettent d'apprendre à maîtriser les outils indispensables à sa future vie d'adulte. L'usage d'internet ne peut lui être que bénéfique, d'autant qu'en naviguant il apprend beaucoup. »* Tous ces arguments sont parfaitement recevables tant que cette occupation ne devient pas addictive et ne le coupe pas des autres.

Mais la tentation est grande de laisser carte blanche à l'enfant. La plupart des parents ont des difficultés à évaluer les dangers que représentent ces nouveaux outils de communication dont les capacités séduisantes et illimitées sont parfois trompeuses. Ce qui caractérise le cyberespace, c'est sa « réalité virtuelle ». Aussi paradoxal que cela puisse paraître, le monde virtuel fait désormais partie intégrante de notre réalité.

Les adultes ont tendance à considérer les technologies numériques comme le domaine réservé de leurs enfants qu'ils estiment plus compétents en la matière. Cela peut être le cas pour la maîtrise technique de l'outil, en revanche enfants et adolescents méconnaissent la plupart du temps les règles et les risques qu'ils courent. Ils oublient souvent sur internet les principes de base de la confidentialité et du respect de l'autre.

La limitation de l'utilisation de l'ordinateur ou du Smartphone est possible, voire indispensable dans certains cas, mais ces appareils sont devenus aussi incontournables que le furent en leur temps le cheval au cow-boy ou le silex au Neandertal. En ce domaine, l'intervention des parents doit faire preuve d'un minimum de finesse et de respect. Le but de l'éducation est de le rendre autonome. Pas question de faire intrusion dans son intimité en épluchant ses mails, ses sms ou sa messagerie électronique, sans une raison sérieuse. Et l'exercice se révèle souvent très délicat. Mieux vaut se former aux usages d'internet que sont les réseaux sociaux. Limiter l'accès à l'ordinateur, au smartphone ou à la tablette à des heures précises, et les éteindre la nuit. Quel que soit l'outil, ne pas laisser l'enfant s'en servir seul avant le collège.

Il ne s'agit pas d'être inquisiteur ni démissionnaire. La multitude d'informations diffusées et brassées par la cybercommunication, et les risques de harcèlement qu'elle induit, obligent les parents à redoubler d'exigence et de rigueur en ce qui concerne les règles de confidentialité, ainsi que le respect de la personne et de sa vie privée. L'utilisation du cyberespace n'échappe pas à ces règles fondamentales.

Règles de base de la confidentialité sur internet

Sur les réseaux sociaux les plus populaires comme Facebook, on peut choisir qui a accès à son profil et à ses informations. Un mineur a tout intérêt à limiter la visibilité de son compte uniquement à ses « amis », et à ne pas figurer sur les listes d'autres sites web. Protéger ses « tweets » afin qu'ils ne soient pas accessibles publiquement. Ne pas parler à un inconnu sur internet. Rejeter les questions anonymes, n'importe qui peut se cacher derrière un pseudo.

Sécuriser son mot de passe : l'échange des identifiants entre amis sur internet est courant. En cas de conflit, la connaissance de ces informations facilite une vengeance qui peut passer par l'usurpation d'identité. Un mot de passe doit rester strictement privé et confidentiel. À la fin de chaque utilisation, il faut penser à se déconnecter de sa session, y compris sur les téléphones portables.

Lors de l'inscription sur un site de jeu ou un réseau social (pas avant treize ans), on doit généralement donner ses nom, prénom, date de naissance et adresse e-mail pour la connexion. Les autres informations personnelles demandées par le site comme le nom de sa ville et de son école, ses musiques préférées… ne sont absolument pas obligatoires. Mieux vaut ne pas afficher sa photo, prendre un pseudo, masquer son âge, et s'en tenir au strict minimum afin de limiter les indiscrétions et les intrusions. Ne pas se servir d'un compte déjà ouvert pour s'inscrire sur d'autres, ce afin de cloisonner les informations, de limiter le plus possible la visibilité et de protéger ainsi a minima ses données personnelles des intrusions. Éviter systématiquement le mode public. Éviter de passer des images par Webcam ou messagerie qui peuvent être ensuite utilisées comme moyen de chantage et risquent de donner lieu aux rumeurs.

Les enfants et les adolescents ont tendance à fournir très facilement des données personnelles à la fois sur les réseaux sociaux et dans les discussions en ligne, ce qu'ils ne feraient pas dans la rue avec des inconnus. En ce sens, le virtuel peut faire perdre les règles élémentaires de prudence et brouille les pistes de la juste distance relationnelle. Les parents doivent donc étudier de près les systèmes de régulation possibles et en parler à leurs enfants.

On retrouve le même brouillage des limites entre vie intime et vie sociale. Enfants et adolescents se mettent beaucoup en scène sur leur portable et sur internet : photos suggestives, ébats amoureux, états d'âme, peines de cœur, ils étalent éhontément leur vie privée, sans mesurer ni anticiper la portée de cette diffusion puisqu'ils ne voient pas physiquement ceux qui prennent connaissance de leurs confidences :

public réel, mais virtuel, invisible, impalpable. Là s'installe le flou, là se situent les zones à risque.

À qui s'adresser
en cas de cyberharcèlement ?

En cas de cyberharcèlement, la victime, sa famille et le personnel éducatif peuvent s'adresser à l'association « e-Enfance », dont les experts proposent des moyens techniques, juridiques et psychologiques. Reconnue d'utilité publique et agréée par le ministère de l'Éducation nationale, « e-Enfance » a entre autres les moyens de faire cesser les manifestations en ligne en intervenant directement auprès des différents réseaux sociaux[1].

Il est important de savoir aussi que les écrits, les photos ou les vidéos échangés par internet ou téléphone mobile laissent des traces. Le cyberharcèlement est donc plus facile à prouver que d'autres types de harcèlement. Il n'est pas réprimé en tant que tel par la loi française, mais il peut tomber selon les cas sous le coup du droit civil, du droit de la presse ou du droit pénal : une injure ou une diffamation publique peuvent être punies d'une amende de 12 000 euros.

---

1. Net écoute : 0800 200 000, numéro vert national pour la protection des mineurs sur internet concernant le cyberharcèlement.

Pour le droit à l'image, la peine maximum encourue est d'un an de prison et de 45 000 euros d'amende. L'usurpation d'identité peut coûter un an d'emprisonnement et 15 000 euros d'amende. La diffusion de contenus à caractère pornographique d'un mineur est passible de cinq ans d'emprisonnement et de 75 000 euros d'amende.

L'Éducation nationale a un rôle fondamental à jouer dans la transmission des valeurs liées à un usage responsable d'internet pour informer les élèves sur les risques d'utilisation des nouveaux médias, sur la protection et le respect des données personnelles et de la vie privée. Dans ce cadre, l'association E-enfance dispense des formations en classe à partir du CE2 et jusqu'en 2nde, ainsi que des formations pour adultes (parents et professionnels).

La violence du cyberharcèlement : le temps du clic est celui de la pulsion

De la même manière qu'une arme, l'agression systématique que permet l'outil internet peut détruire psychiquement quelqu'un en le frappant à distance. Le temps très rapide du clic, qui obéit à l'impulsion, court-circuite le temps de l'émotion et de l'empathie, autorise toutes les dérives verbales, fait sauter les verrous moraux habituels. La plupart du temps, le cyberharceleur reste anonyme. Incapable d'aller dire en face à son camarade de classe les insultes et les menaces qu'il profère sur la toile. Il lui serait beaucoup plus difficile d'aller aussi loin dans la violence en le regardant dans les yeux.

En ce sens, ce que l'éthologue Konrad Lorenz écrivait en 1963 dans *L'Agression*, à propos des armes caractérise également le cyberharcèlement : « Aucun homme normal n'irait jamais à la chasse aux lapins pour son plaisir s'il devait tuer le gibier avec ses dents et ses ongles et avait ainsi le temps de réaliser émotionnellement ce qu'il fait. [...] La responsabilité morale et la répugnance à tuer ont sans doute augmenté avec le temps et au fil des inventions techniques, mais la facilité d'exécuter un meurtre et son impunité émotionnelle ont augmenté dans la même mesure. [...] Les couches émotionnelles profondes de notre personne n'enregistrent tout simplement pas le fait que le geste d'appuyer sur la gâchette fait éclater les entrailles d'un autre humain. [...] Le même principe s'applique à l'usage des armes modernes commandées à distance. L'homme qui appuie sur le bouton est complètement protégé contre les conséquences perceptibles de son acte[1]. »

---

1. *L'Agression, une histoire naturelle du mal*, de Konrad Lorenz, éd. Champs Flammarion, 1969.

Nos émotions étant liées à nos perceptions, la réalité virtuelle nous coupe de nos émotions parce qu'elle nous prive de la perception physique de l'autre ; il est du coup beaucoup plus difficile de mesurer la portée de ses propos et de réaliser l'impact qu'ils peuvent avoir. C'est pourquoi l'usage d'internet est dangereux, il nécessite une grande maturité émotionnelle et affective que la plupart des collégiens et des lycéens sont loin d'avoir atteint. Il permet au jeune harceleur d'échapper à la surveillance. Celui-ci en profite pour *« passer sa rage »* comme il veut quand il veut, tranquillement allongé sur son lit. Il ne voit personne, personne ne le voit ni ne se doute des méfaits qu'il est en train de commettre.

La rumeur en un clic : l'exemple de Despuès de Lucia

La haine, l'envie, la vengeance, tout peut partir d'un clic. Le temps du clic (de la pulsion) est complètement synchro avec le temps de l'ado, immédiat, sans différé, sans détour, impulsif, versatile. Le clic autorise tous les retournements, déchaîne toutes les susceptibilités. Les filles sont plus particulièrement visées par le cyberharcèlement, dont elles sont d'ailleurs le plus souvent à l'origine.

Le film *Despuès de Lucia*[1] décrit les différentes étapes du processus de harcèlement dont est victime une jeune fille, Alejandra. Fragilisée par la mort accidentelle de sa mère, elle déménage, arrive à Mexico dans un nouveau lycée. Elle est sympathique, ouverte, plutôt jolie. Elle n'attire pas particulièrement l'attention, mais elle est l'élément étranger qui débarque dans le groupe et, à ce titre, elle suscite la curiosité d'abord, puis la méfiance, et ensuite l'envie. Elle est seule, un peu empruntée et ne sait que faire pour s'intégrer. Elle cède un soir à l'un des beaux gosses de la classe qui filme leurs ébats sur son Smartphone. Le lendemain, la vidéo circule dans toute l'école. Alejandra est aussitôt montrée du doigt, se fait « traiter de pute » et devient l'objet de haine et de jalousie des autres membres du groupe. Elle ne dira jamais rien à son père, dont elle est pourtant très proche mais qu'elle veut ménager et vis-à-vis duquel elle se sent honteuse.

Plus elle est humiliée et plus elle se sent coupable, plus elle se coupe de son père et s'enferme dans le silence. Le processus fonctionne comme un mécanisme fou et implacable que rien ne peut arrêter. Le réalisateur et scénariste, Michel Franco, décrit parfaitement comment le Smartphone démultiplie la

---

1. *Despuès de Lucia* de Michel Franco a reçu le prix Un certain regard au festival de Cannes 2012.

vitesse du phénomène : un clic et dès le lendemain tout le lycée est au courant, tout se déclenche à la vitesse d'un tsunami. Les images sont livrées brutalement sur l'écran du Smartphone d'Alejandra quand elle l'ouvre le soir chez elle, elles font irruption sans aucun contrôle possible.

Dans le cas du film *Despuès de Lucia*, il semble que le harcèlement se produise au sein d'un établissement dont les élèves, de milieux plutôt favorisés, sont livrés à eux-mêmes sans idéal, sans contact réel avec le monde des adultes, ou sans véritables centres d'intérêt, flottant au gré d'un hédonisme vague que la société de consommation se charge d'entretenir.

L'aléatoire de la stigmatisation

Sous un prétexte ou un autre, un garçon ou une fille est pris à partie par le groupe ; il n'existe pas de critères systématiques. On peut pourtant relever certaines constantes. Les élèves sans amis ou copains sont des cibles privilégiées pour le ou les agresseurs qui peuvent alors agir sans crainte d'être dénoncés : c'est le cas d'Alejandra qui vient d'une autre région, elle est nouvelle dans l'école et fragilisée par le récent décès de sa mère. D'autre part, elle a le malheur de céder au beau gosse de la classe, ce que la plupart des autres filles rêvaient de faire.

Cela suffit à déclencher la vindicte du groupe à son encontre, comme si toute la classe n'attendait qu'un prétexte pour trouver un mauvais objet sur lequel se défouler, et au détriment duquel tous pouvaient s'unir et faire clan.

C'est une jeune fille qui prend la tête de la « curée », par jalousie, rivalité, dépit amoureux ; les filles et les garçons de la classe lui emboîtent le pas, leur malfaisance est sans limite. Les humiliations publiques contre Alejandra vont crescendo, dans une sorte de jouissance collective d'autant plus exacerbée qu'il y a un effet d'entraînement. La classe va se souder sur son dos, jusqu'au point de non-retour : lors d'un voyage de classe, dans une chambre, garçons et filles organisent tous ensemble « une tournante ». Pas un ne s'élèvera « contre ce viol organisé », pas même la majorité silencieuse, pas même ceux qui avant l'arrivée d'Alejandra se trouvaient en position délicate de victime potentielle.

Ce qui est déroutant, c'est l'aléatoire de cette stigmatisation. C'est bien ce qui égare le persécuté. Pour le malheureux « élu » la question est lancinante, douloureuse. Il ne se demande pas « pourquoi font-ils cela ? », mais « qu'ai-je fait pour mériter cela ? » et finit par endosser sans le savoir le statut de victime.

Les témoins, le silence complice

Il s'agit ici « d'une véritable mise à mort » sociale et existentielle.

Qu'ils y assistent sans rien faire ou qu'ils y prennent part en se déchaînant à leur tour sur la victime, les témoins cautionnent ce qui se passe et laissent perdurer le harcèlement. Par peur du petit chef, par effet d'entraînement, par faiblesse et par fascination perverse, les témoins passifs ne participent pas directement aux agressions, certes, mais ne s'y opposent pas, alors qu'ils pourraient tenter de réagir d'une manière ou d'une autre en soutenant celui qui est attaqué, en se désolidarisant du groupe et en rapportant ce qui se passe à un adulte (parent, professeur principal, CPE, infirmière, psy scolaire ou proviseur, etc.).

Il y a aussi le témoin actif qui attise, encourage la situation, ou participe à la curée. Il colporte les rumeurs, s'associe aux « coups tordus » et s'achète ainsi, à bon compte, un semblant de statut et d'appartenance au groupe.

Dans les deux cas, mais à des degrés divers, les témoins ont une responsabilité quasiment aussi lourde que celle du harceleur. Leur attitude s'apparente à de la non-assistance à personne en danger.

4.

LE BOUC ÉMISSAIRE

Le cyberharcèlement colore le harcèlement à l'école d'une frappante modernité, mais ceci ne doit pas nous leurrer : le phénomène procède d'un réflexe vieux comme le monde, celui du bouc émissaire. Vient-il en remplacement de rituels de passage qui n'ont plus cours aujourd'hui et qui permettaient autrefois de baliser les zones dangereuses de l'enfance jusqu'à l'âge adulte[1] ?

« Va crever, on va te faire la peau ! », *« Pends-toi, tu ne sers à rien ! »*, *« Tu n'es qu'une merde infâme »*. Les sms et mails en tous genres que les agresseurs envoient à leur victime, les insultes qu'ils répètent

---

1. Le harcèlement se rapprocherait en ce sens du bizutage que l'on peut à certains égards considérer comme un avatar des rituels d'initiation.

en tous lieux, les rumeurs qui se colportent à la seconde près, ces situations de harcèlement mettent en lumière une violence qui balaie toutes valeurs morales et toute rationalité.

De quoi s'agit-il ? D'une agressivité consubstantielle à la nature humaine ?

Abel, victime sacrificielle

Abel, élève de CM1, est devenu le souffre-douleur de toute la classe après une partie de foot. Ce jour-là, il avait envoyé par mégarde le ballon hors des murs de l'école. À la suite de quoi la maîtresse avait supprimé purement et simplement le droit de jouer au foot à la récréation : « Trop dangereux. »

De quoi Abel est-il accusé ? D'avoir par son geste malheureux privé toute la classe de foot à la récré ? Sa maladresse et la punition qu'elle a entraînée pourraient à la rigueur expliquer la colère ou une réaction des autres à son encontre, mais il ne s'agit pas de cela. Personne n'est tombé à bras raccourcis sur Abel pour le rosser après l'épisode. En revanche, le tir malheureux et l'interdiction de foot qui s'en est suivie ont servi de prétexte à le désigner comme « bouc émissaire », à le prendre pour cible, sous la houlette d'un « chefaillon » qui n'a pas eu grand-chose à faire pour que toute la classe fasse haro sur Abel.

À partir de là, par consentement mutuel, chacun s'autorise à déverser sa rage et à passer ses nerfs sur Abel, comme il veut, quand il veut, sans scrupule et sans retenue. Pourtant, celui-ci, ni bagarreur ni agressif, ne demande qu'à jouer avec les autres à la récré et à travailler tranquillement en classe. N'importe quel autre élève aurait pu envoyer le ballon sur la route. Il y a ici comme une ordonnance fatale et aléatoire à la désignation d'une victime tacitement acceptée par le groupe dans son ensemble et qui n'est pas d'ordre psychologique, ni d'ordre moral.

De quelle nature est-elle ?

Il ne s'agit pas de guerre entre gangs ou entre clans, mais d'un groupe qui se déchaîne contre l'un de ses membres. Et ce déchaînement de tous contre un seul, ce choix d'une victime nécessaire à l'émergence, à la cohésion et à la persistance du groupe, rappelle étrangement le rite sacrificiel du « bouc émissaire » des religions primitives, tel que le décrit René Girard dans *La violence et le sacré*[1].

Le bouc émissaire est une victime sacrificielle, « il sert d'exutoire à une violence aveugle qui risque à tout moment de dégénérer en querelles intestines, de tourner à la rivalité entre proches, de se propager

---

1. *La violence et le sacré*, Grasset, 1972, rééd. Hachette Littératures, coll. Pluriel, 1998.

d'individu à individu et d'embraser le groupe jusqu'à l'affrontement général de tous ses membres montés les uns contre les autres ». Le choix de la victime est aléatoire : « La violence inassouvie cherche et finit toujours par trouver une victime de rechange. À la créature qui excitait sa fureur, elle en substitue soudain une autre qui n'a aucun titre particulier pour s'attirer les foudres du violent sinon qu'elle est vulnérable et qu'elle passe à sa portée[1]. »

Abel constitue en ce sens une victime idéale : un peu isolé, peu enclin à se défendre, sa maladresse de circonstance va faire de lui un bouc émissaire tout trouvé.

Les élèves font alliance sur le dos du harcelé par solidarité dans le « crime ». C'est le « tous contre un » qui fait cohésion, ou plutôt « agrégat ». Ce moyen précaire, archaïque et primitif, qui tire au plus court pour satisfaire les pulsions, bouscule notre système de valeurs.

Cette façon de détourner la rage de tous sur un seul en désignant un ennemi commun offert en pâture, crucifié psychiquement et physiquement, paraît expéditive, cruelle et d'un autre âge. Dans les discours primitifs religieux ou sacrés, la véritable fonction du rite sacrificiel est d'ailleurs voilée. Il est officiellement présenté comme destiné à calmer la colère des dieux, la violence est attribuée aux dieux

---

1. *La violence et le sacré, op. cit.*

et non aux hommes – ainsi lavé de tout soupçon, le sacrifice paraît pur et peut jouer efficacement son rôle d'exutoire à la haine ! Si sa nature violente apparaissait au grand jour, il perdrait de son efficacité, il deviendrait violence « impure », et serait désacralisé.

Jusqu'à l'avènement du système politique et judiciaire, le bouc émissaire sert à canaliser l'agressivité du groupe en la cristallisant sur un seul. Il protège ainsi, à son détriment et à son corps défendant, la communauté tout entière de sa propre violence. « Le sacrifice restaure l'harmonie, renforce l'unité sociale. » De nos jours, c'est le système judiciaire qui tient la violence en respect. Il ne la supprime pas, il la limite par une vengeance unique (le châtiment) qui coupe court à l'escalade des représailles. Il punit un « coupable » et non une victime aléatoire. « Le système judiciaire est infiniment plus efficace », remarque René Girard[1]. Nous débarrasse-t-il pour autant de la violence ? Non.

« *Il n'y a pas de remède décisif à la violence*[2] »

La tragédie grecque met en évidence l'inéluctable de cette violence dans les sociétés humaines. Les héros

---

1. *La violence et le sacré, op. cit.*
2. *Ibid.*

s'y affrontent interminablement, œil pour œil et dent pour dent, sans que rien ni personne ne puisse les arrêter durablement.

Dans *L'agression*[1], l'éthologue Konrad Lorenz montre comment l'agressivité sous-tend tout lien personnel, tout lien social et leur donne une ambivalence folle : « Elle motive la rage militante, le prosélytisme religieux et peut conduire, sans crier gare, les causes et les idéaux les plus nobles aux pires extrémités. »

C'est précisément ce que nous donne à voir la violence du harcèlement, quand, sur ordre d'un meneur et sous un prétexte fallacieux, tous se jettent comme un seul homme sur un élève. « Par imitation et conditionnement, l'homme endoctriné est capable de tuer père et mère pour défendre de nobles idéaux [...]. Il ne s'agit pas de s'en offusquer, mais d'en prendre connaissance et d'en tenir compte[2]. » L'histoire contemporaine regorge de dérives sanguinaires exécutées au nom d'un idéal, mais le harcèlement dans la cour de récréation nous met sous les yeux une violence qui n'avance pas masquée derrière un quelconque idéal politique, religieux ou éthique, une violence crue, sans fard et du même coup difficilement soutenable, qui choque notre bien-pensance. D'où vient-elle ?

---

1. *L'agression, op. cit.*
2. *La violence et le sacré, op. cit.*

5.

L'ADOLESCENCE, PÉRIODE CRITIQUE

Camille : la chute

À première vue, Camille a tout pour elle. Elle fréquente un collège sans problème de l'Est parisien, elle vit dans un milieu aisé et cultivé où la parole a l'air de circuler librement. Très proche de sa mère, elle se confie beaucoup, elle a une sœur de deux ans son aînée. Très bonne élève, Camille est jolie, avenante, généreuse, sensible, pleine d'empathie envers les autres. Un charme fou. Elle a douze ans, elle est en 5ᵉ. Sa voix, sa façon de jeter en arrière ses cheveux blond vénitien, de nouer son écharpe, ses yeux verts, sa timide délicatesse, son rire qui fuse quand les garçons racontent pour elle une histoire drôle lui permettent de faire partie assez naturellement des « *populaires* » – « *trop fraîche* », comme disent les garçons, c'est-à-dire trop jolie, trop sympa.

Les « populaires » sont ceux que les autres admirent, qu'ils ont envie d'imiter, auxquels ils ont envie de ressembler, ceux qui ont l'air sûrs d'eux, bien dans leur peau, bien habillés, bien intégrés dans le groupe. Camille ne tire pas gloire de cette situation, elle est simplement rassurée d'être du bon côté. La vie au collège se déroule donc plutôt bien pour elle, ce qui un an plus tôt n'était pas gagné, Camille ayant dû faire face à une puberté fulgurante. Entre la rentrée de 6ᵉ et les vacances de Noël, elle est passée en un trimestre d'un corps d'enfant à un corps de jeune fille. Après quelques mois difficiles, elle a surmonté tant bien que mal ce changement brutal et, en 5ᵉ, elle a fini par trouver ses marques, et semble bien dans sa nouvelle peau, dans son nouveau corps. Bonne ambiance avec une bonne bande de copains et de copines. Elle raconte à sa mère, non pas l'école et les cours, mais ce qui se passe à la récré, ce qui se joue avec les garçons et les filles de son âge, premiers émois, premiers baisers. Elle s'émeut du sort réservé aux « bolosses », les exclus, les sans-grade, parmi lesquels les timides, les mal fringués, les intellos, les « *geeks* » qui errent seuls dans la cour tels des pestiférés.

Une situation l'interpelle particulièrement, une fille de sa classe un peu ronde dont tout le monde se moque ; mais elle n'arrive pas pour autant à prendre publiquement sa défense : « *Tu comprends, si je deviens copine avec la grosse, plus personne ne voudra être ma copine* », explique-t-elle à sa mère qui l'incite à aller vers elle, parce que Camille justement pourrait avoir de l'influence sur ses camarades.

L'année se passe, remplie d'émotions. Et puis, en 4e, le jour de la rentrée, Camille annonce à sa mère qu'une belle fille est arrivée, une nouvelle, qui s'appelle Pélagie : « *Elle est trop belle...* » Pélagie, qui est blonde comme Camille et physiquement du même type, prend d'emblée le pouvoir, l'ascendant sur le groupe. Très vite, elle devient le point de mire et se débrouille, peu à peu, insidieusement, pour faire le vide autour de Camille qui risque de lui faire de l'ombre. Les garçons tombent amoureux de cette Pélagie « *qui sait si bien faire la roue, qui fume en cachette, qui est à l'aise avec tout le monde et choisit ceux qui feront partie de sa cour* ».

Les anciennes copines de Camille escortent Pélagie et n'ont plus d'yeux que pour elle. Elles boivent ses paroles, imitent ses faits et gestes, se voient en elle, se mirent en elle, se cherchent en elle, se reconnaissent en elle, fascinées... Camille elle aussi est fascinée. Mais, n'ayant pas les moyens de se défendre vis-à-vis de cette fille qui l'a mise à l'écart, elle perd pied. Le matin, quand elle arrive dans la cour, ses anciennes copines se détournent, l'ignorent, ne lui adressent plus la parole, sans explication, sans raison, comme si elle n'était pas là, comme si elle était devenue transparente. En quelques semaines, Camille qui comptait parmi les « populaires » est ravalée au rang de « bolosse », déclassée. Sa confiance en elle s'effondre, l'image qu'elle a d'elle-même se brise. Un soir, elle rentre à la maison et déclare à sa mère : « *Pélagie m'a volé ma vie.* » Pélagie a organisé l'exclusion de Camille en la rayant tout simplement de la carte. Camille pleure tous les soirs, se confie beaucoup à sa mère qui met cela sur le compte de l'adolescence et pense que ça va passer. Mais les choses empirent. Camille passe des heures devant le miroir à se préparer le matin, pour essayer d'être la plus jolie possible dans l'espoir qu'à nouveau on la remarque, dans l'espoir d'exister à nouveau aux yeux de ses copains et copines. Elle se sent jugée, mal aimée. Elle rougit dès qu'on lui adresse la parole.

Les copines qui lui ont tourné le dos lui lancent des piques en passant. Comme l'année scolaire est trop avancée pour changer de collège, sa mère décide d'aller voir la directrice pour lui expliquer la situation. Camille la supplie de ne pas donner les noms des trois copines qui la harcèlent systématiquement. La directrice comprend le problème et effectue les démarches pour un changement d'établissement à la rentrée suivante, en 3ᵉ. Entre-temps, la CPE réussit à soutirer à Camille les noms des trois harceleuses et les convoque. Ce faisant, elle envenime la situation qui se durcit : les humiliations s'accentuent et Camille commence à se faire insulter sur Facebook. Elle n'arrive pas à s'expliquer avec ses ex-copines, qui font comme si de rien n'était et continuent de l'ignorer ou de lui lancer des réflexions désobligeantes. Les garçons, qui la trouvaient si sympa et si « fraîche » quelques mois plus tôt, ne daignent même plus lui adresser un regard, et celui qu'elle avait embrassé ne « la calcule » plus.

La pestiférée

Camille reste perplexe. A-t-elle vexé l'une de ses amies ? A-t-elle enfreint quelque règle ignorée d'elle ? Y a-t-il eu malentendu ? Que lui reproche-t-on ? Qu'a-t-elle fait de mal ? Elle est prête à se racheter. Elle voudrait comprendre et pouvoir ainsi réintégrer le groupe, que la vie reprenne avec les autres, mais personne ne dit mot, les ex-copines seraient bien embarrassées pour expliquer ce qu'elles lui reprochent. Ce qui est sûr c'est qu'elle ne fait plus partie du clan des « popus », elle en a été exclue ; mieux vaut donc ne pas « traîner » avec elle de peur d'être assimilée à elle, d'être contaminée. C'est elle, la paria, la pestiférée ; les groupies de Pélagie suivent le mouvement, de peur d'être débarquées à leur tour. Rien à ajouter, c'est sans appel. Le vent a tourné pour Camille, elle a eu le malheur d'être une potentielle rivale pour Pélagie, d'être jolie, intelligente, vive, de plaire aux garçons et aux filles. Elle représentait une menace, il fallait la neutraliser. Il a suffi de quelques allusions habilement distillées, de quelques remarques insidieuses et Camille s'est retrouvée abandonnée. On lui a tourné le dos du jour au lendemain, sans raison, sans dispute, sans explication, sans bruit, quelques sms assassins et le tour était joué, et la machine lancée… Sauf à l'avoir vécu, il est difficile d'imaginer la solitude, l'enfermement, le désarroi et l'impuissance dans lesquels se trouvent plongées les jeunes victimes de ce bannissement, l'abîme de perplexité, l'incompréhension, l'impression d'être fautif, auxquels elles sont confrontées.

À la rentrée suivante, non seulement Camille n'obtient pas le changement d'établissement escompté, mais elle se retrouve avec les mêmes, dans la même classe, séparée de la seule copine dont elle s'était rapprochée depuis sa « disgrâce ». Peu à peu, Camille décroche, ses notes s'en ressentent gravement, elle appelle souvent sa mère en pleurs, la supplie de l'autoriser à rentrer chez elle. L'infirmière du collège, très à l'écoute, s'alarme. À la maison, Camille est en proie à des crises d'angoisse qui la laissent tremblante dans sa chambre. Jusqu'au jour où elle tente de se suicider en avalant des médicaments. Le psychiatre qui la soigne pour dépression conseille un changement d'école. La mère de Camille obtient une place dans une école privée, seul recours possible en milieu d'année. Pendant quelques jours, Camille paraît retrouver son entrain et puis tout recommence ; elle se scarifie, s'enferme des heures dans les toilettes. Dans ce collège privé, pas d'infirmière, pas d'endroit où se réfugier quand l'angoisse vient la submerger, personne à qui parler. Au troisième trimestre, elle est hospitalisée trois semaines. Puis elle quitte le système scolaire et fugue avec un garçon qu'elle a rencontré à l'hôpital. Elle vient d'avoir quinze ans.

Ses parents finissent par trouver un établissement proche de Paris qui reçoit les adolescents en rupture de ban, et assure un suivi psychiatrique, psychologique et scolaire. Camille prend plaisir à y aller, elle se resocialise progressivement auprès d'autres jeunes qui traversent comme elle une passe psychologiquement délicate. Mais, très vite, elle commence à sécher les cours, se met à fumer de plus en plus de cannabis et finit par tomber dans des addictions variées. Elle se fait des copains, ne veut plus entendre parler des filles – « *toutes des putes* ». Camille n'est jamais retournée au collège, elle a réussi tant bien que mal à mettre en place un projet de CAP petite enfance ; elle vient de commencer un stage dans un jardin d'enfants, là où elle allait quand elle était petite fille. Elle voit sa psy deux fois par semaine, elle se bat et tente de sortir de sa dépression. Que s'est-il passé ?

La puberté expose au harcèlement

Le harcèlement à l'école, au collège ou au lycée n'a rien à voir avec le milieu social, comme le montre l'histoire de Camille et de Pélagie. Ce qu'il met en jeu échappe aux analyses psychologiques et sociologiques habituelles. Il a en revanche à voir avec la puberté. Il y a incontestablement des âges, des périodes ou des circonstances critiques qui fragilisent et exposent au harcèlement – au premier rang desquels l'adolescence.

L'adolescence est un moment de grand bouleversement psychique et physiologique, avec poussée hormonale et réorganisation génitale des pulsions. Un moment aussi fondamental que celui qui se produit chez le petit enfant de deux ou trois ans qui doit dire « non » pour s'affirmer en tant qu'individu séparé de la « mère »[1], et dans le même mouvement renoncer

---

1. La mère est ici un terme générique. Il désigne, par extension, toute personne de l'entourage très proche qui prend soin quotidiennement de l'enfant.

à la toute-puissance, c'est-à-dire comprendre que son désir n'est pas toujours possible à satisfaire.

L'adolescence vient raviver ce passage extrêmement délicat, mais il s'agit cette fois de quitter l'enfance pour faire ses premiers pas dans la vie d'adulte, ce qui peut se vivre comme un arrachement[1]. Les deux âges ont en commun la difficulté à intégrer la loi qui vient barrer la toute-puissance et l'intensité pulsionnelle. L'ado n'est plus un enfant, il n'est pas encore un adulte. Il quitte sa famille pour aller dans le monde. Les parents qui ont servi jusque-là de référence absolue et régné sans partage descendent de leur piédestal. Un remaniement d'identité est à l'œuvre. Cette étape nécessite de nouveaux modèles, de nouvelles identifications que l'adolescent et le préadolescent (neuf-seize ans) vont chercher auprès de leurs pairs ; ce qui correspond à un phénomène normal et nécessaire.

La cour du collège devient alors le théâtre d'un drame existentiel où il s'agit de trouver sa place dans le groupe, de s'intégrer à ceux de son âge, de s'en faire accepter, aimer à tout prix ; c'est la jungle, il n'y a pas de sentier balisé. D'où la dimension tragique que peut prendre dans ces moments-là, un dépit amoureux ou amical.

---

1. Les adolescents emploient d'ailleurs très souvent l'expression « allez, on s'arrache ».

On assiste alors à l'irruption brutale d'une logique clanique primitive. La société qui s'invente dans la cour du collège est un système de caste avec des codes d'autant plus rigides que les ados se cherchent : il y a le « leader » qui mène le groupe et choisit sa cour parmi les « populaires » – ceux qui sont bien lookés, bien vus, reconnus, admirés et qui servent de modèle. Il y a les « normaux », également baptisés les « riens » qui constituent la masse, sans particularités, transparente aux yeux du groupe, et puis il y a les « bolosses » ou les « gogols » (les expressions varient selon les régions), les pestiférés, les exclus, les sans-grade que le groupe rejette et « victimise ».

Chaque membre du groupe est confronté à la même exigence et risque donc potentiellement de devenir victime ou de se faire bourreau. Lorsqu'il y a harcèlement, la question de la victime est donc la même que celle du bourreau. Il est important d'avoir cela en tête lorsqu'on cherche à prévenir ou à briser cette mécanique infernale. Ce qui ne disculpe en rien le ou les bourreaux ; simplement, ils sont, comme la victime, confrontés à la même question : comment négocier le passage de l'enfance à l'âge adulte, comment affronter la réorganisation psychique qui se joue durant cette période ?

Le corps, le sexe,
le sentiment de soi à l'adolescence

À onze ans quand elle rentre en 6ᵉ, Camille est une petite fille, dans son corps comme dans sa tête. Elle joue encore à la poupée dans la douce torpeur de sa chambre d'enfant. Trois mois plus tard, la voilà bombardée dans un corps de femme, confrontée à la convoitise des garçons qui n'ont d'yeux que pour ses seins. En éducation physique elle essuie les remarques graveleuses des collégiens : « *Vas-y, t'es trop bonne quand tu cours.* »

Camille est décontenancée, perdue, flottante, dans cette nouvelle peau. Comment en prendre la mesure, comment se l'approprier ? Le regard que les autres portent sur elle n'est plus le même, et quand elle croise son image dans le miroir elle ne s'y reconnaît pas. Il y a comme un décalage entre elle et elle-même, entre l'apparence et le sentiment de soi, un hiatus entre le temps biologique et le temps psychique. Il va falloir du temps pour métaboliser cette nouvelle apparence. Cette brutale puberté implique une révolution psychique.

Pour nombre d'adolescents, ce passage est délicat à négocier, en particulier pour les filles qui deviennent objet de convoitise sexuelle. Elles risquent à ce moment-là de se retrouver au centre des rumeurs quoi qu'elles fassent – qu'elles embrassent ou qu'elles n'embrassent pas, qu'elles couchent ou ne couchent pas, ou bien qu'elles cèdent aux demandes pressantes, voire intimidantes, de fellation. Considérée comme une initiation avant le premier rapport, cette pratique a lieu de plus en plus tôt.

Camille va assumer tant bien que mal sa mutation et le nouveau statut que lui assigne son corps de jeune femme, elle va même y trouver des avantages. Elle s'efforce surtout de ne pas déplaire, de se mettre au diapason, pour s'intégrer aux autres vite, très vite. Trop vite ? Expulsée brutalement des rives de l'enfance, elle s'empresse de se blottir contre les flancs chauds d'un nouveau clan, d'une nouvelle famille. Elle devient « accro » à sa bande, aux garçons qui la courtisent, aux copines avec qui elle parle des heures durant. Les autres sont comme elle, ils font leurs premiers pas mal assurés dans la cour des grands, ils tremblent et serrent les rangs en miroir les uns les autres, appliqués à se chercher, à étrenner leur nouvelle peau.

Dans cette période de « mue », de métamorphose, où le sentiment de soi est en chantier, le regard de l'autre prend une importance capitale pour l'adolescent – qui peut en devenir dépendant à l'extrême. C'est alors que le harcèlement et le bannissement qu'il entraîne peuvent révéler des fragilités voire des failles narcissiques lourdes de conséquences.

Hantise de la ressemblance, danger de disparition : la relation en miroir

Au moment où Pélagie débarque au collège, Camille a treize ans, elle est en 4ᵉ. Elle a absolument besoin de s'identifier à l'autre, le copain, l'ami ou « la sœur de cœur », comme disent les filles. Cette relation est nécessaire, fondamentale, indispensable, constitutive de notre moi, mais l'image érotise complètement les rapports humains et les charge corrélativement d'agressivité, d'où les phénomènes de groupie, de secte, de foule… D'où aussi l'importance du double, de l'alter ego (ami et/ou rival), en totale symétrie avec nous.

Prises dans une relation en miroir, Camille et Pélagie font couple dans un mouvement de fascination/répulsion qui les dépasse : Camille, discrète et empathique, qui rougit à la moindre émotion, tombe sous le charme de Pélagie. « Elle est trop belle », s'exclame-t-elle ; c'est un cri du cœur. Pélagie la prédatrice, sans foi ni loi, organise le bannissement de Camille. Un pôle tendre et un pôle dur, l'une à l'autre « aimantées ». La relation oscille dangereusement entre irrésistible attirance et irrésistible rejet, entre Éros et Thanatos.

Aussi paradoxal que cela puisse paraître, ce qui fait que Pélagie, la harceleuse rejette Camille, la harcelée, c'est moins leur différence que leur ressemblance.

Et c'est ce qui se passe dans la plupart des cas de harcèlement : la différence peut servir à la rigueur de prétexte, mais elle ne constitue jamais le véritable enjeu du problème. L'enjeu, c'est la difficulté à se différencier pour s'individualiser. La ressemblance ou la trop grande proximité constituent alors une menace de perte d'identité, de disparition dans l'autre ; ce que Camille résume ainsi : « Pélagie m'a volé ma vie » – le drame tout entier du couple harcelé-harceleur réside dans cette phrase.

Dans certaines sociétés sud-américaines, il fut un temps où l'on supprimait les jumeaux à la naissance, leur ressemblance étant considérée comme insupportable, monstrueuse et taboue. C'est ce qu'on retrouve également dans le mythe des frères ennemis Remus et Romulus, Caïn et Abel, Castor et Pollux...

En quoi la relation narcissique à l'autre induit-elle autant d'agressivité, d'ambivalence et de danger ? Comment en vient-elle à susciter une telle hantise de la ressemblance ?

Pour comprendre le phénomène, il faut remonter à la phase « sadique orale » du nourrisson, comme la nomment les psychanalystes selon lesquels notre tout premier rapport au monde est un rapport de dévoration.

6.

LA VIOLENCE À L'ORIGINE DE LA CONSTRUCTION DE SOI

« *La Haine précède l'amour*[1] »

La violence qui s'épanche, se répand et se cristallise sur le bouc émissaire est à la racine du développement psychique humain, c'est un phénomène archaïque et infantile qui fait partie intégrante de la construction de soi. Et la construction de soi passe d'abord et avant tout par l'autre.

La haine et l'envie habitent le petit homme aux tout premiers jours de son développement. Cette thèse avancée par Melanie Klein dès 1932 dans *Psychanalyse d'enfants* plonge avec une crudité inouïe aux origines du développement psychique. Le monde qu'elle dévoile est terrifiant, dantesque, il met en

---

1. *Métapsychologie*, Sigmund Freud.

pièces l'image idéalisée du bébé paisible et bienheureux que notre imaginaire adulte édifie derrière la barrière de l'amnésie infantile.

À partir des angoisses que lui donnent à voir les enfants de deux ou trois ans, Melanie Klein met au jour des mécanismes inconscients qui, selon elle, sont à la racine du développement humain. Le monde qu'elle explore est celui du chaos, de la déflagration, du cataclysme, des angoisses de persécution, de dévoration. Lacan, avec son sens habituel de la formule, l'avait baptisée « la tripière de génie ». Cette image résume parfaitement l'univers de Melanie Klein, cauchemardesque, peuplé de sorcières et d'animaux féroces.

Freud avait découvert l'enfant dans l'adulte, Melanie Klein découvre le nourrisson dans l'adulte. L'enfant de Freud cherche son plaisir à tout prix avec son corps et les objets qui l'entourent. Freud dit de lui qu'il est un « pervers polymorphe » ; cette image provocante a le mérite de briser l'idéal d'un bébé angélique. Le bébé de Melanie Klein est encore plus dérangeant, habité de pulsions sadiques orales, urétrales et anales, animé par des tendances destructrices qui ont pour but de « pénétrer, vider, déchirer, mordre, brûler l'intérieur du corps de la mère ». L'enfant de Freud tue le père, le nourrisson de Melanie Klein tue la mère, un meurtre encore plus précoce. Le monde des Titans et des cyclopes de la mythologie grecque, celui des ogres et des sorcières des contes de Grimm ou celui des tueurs en série au cinéma correspondent exactement à l'univers que Melanie Klein dévoile au fil de sa clinique. Un monde binaire comme celui du rock, un monde violent comme le porno, un monde en deçà du bien et du mal, où priment l'angoisse et l'agressivité. Un univers clivé entre haine et amour, bons et mauvais objets. Univers dominé par la toute-puissance, hanté par la dévoration et la peur, avant de s'acheminer peu à peu vers la réparation et la gratification.

L'ogre nourrisson

L'enfant de Melanie Klein n'est pas l'enfant des Lumières, mais un bébé en proie à une lutte titanesque pour sa survie : même quand il naît à terme, c'est un prématuré. Sa maturation neurobiologique n'est pas terminée, il a des difficultés à synthétiser les perceptions. Il est expulsé hors du ventre de la mère dans un monde de bruit et de fureur. Là où il faisait chaud, maintenant il a froid. Là où la lumière était tamisée, maintenant elle est aveuglante, là où il flottait tranquillement dans le bain amniotique, maintenant il est irrésistiblement attiré vers le sol par la gravité. Son corps était entouré et contenu, il n'en ressent, à présent, ni les limites ni les contours. Il est traversé successivement de sensations bonnes ou mauvaises, sans discernement, sans aucun moyen pour appréhender le monde, dont il n'est pas encore différencié, puisque son « moi » n'est pas encore constitué et qu'il n'a pas encore le sentiment de soi.

Pour émerger de ce chaos, le bébé kleinien met de l'ordre. Le premier principe ordonnateur, c'est le clivage entre bon et mauvais objet, entre dedans et dehors : « Tout ce qui est bon je mange, tout ce qui est mauvais je crache[1]. » Ce qui est bon, c'est ce qui fait plaisir, ce qui est mauvais c'est ce qui ne fait pas plaisir. Le premier objet, c'est le sein, l'enfant le dévore, le mange et craint aussitôt d'être mangé en retour. Le sein est bon quand il est là ; et quand il disparaît, il est mauvais. De même il y a deux mères : la bonne, celle qui est là, et la mauvaise, celle qui disparaît. Il lui faudra environ six mois avant de pouvoir relier les deux, la bonne et la mauvaise, en une seule, à la fois bonne et mauvaise, c'est-à-dire toujours ambivalente, rassurante et inquiétante en même temps[2].

---

1. Freud dans *Pulsions et destin des pulsions*.

2. En psychanalyse « la mère » (ou la personne qui en tient lieu) est le premier objet libidinal, autrement dit le premier objet sexuel. C'est en ce sens que les psychanalystes disent que la relation humaine est d'emblée sexuelle.

Quand c'est bon, je mange le monde, je mange le « bon sein », je l'incorpore, je le mets dedans, je le dévore. Quand c'est mauvais, je projette à l'extérieur, je pleure, je crie, je chie, je pisse, je pète, je rote, je crache « le mauvais sein », je le vomis, je l'expulse. Ainsi se constitue, dans les premières semaines de la vie, la première ébauche de soi (d'un moi) sur le mode binaire de l'incorporation et de l'expulsion, du plaisir/déplaisir, du bon/mauvais, du dedans/dehors. Au stade oral, « aimer c'est manger », dit Dolto ; « l'amour c'est miam-miam », reprend Lacan[1]. Ainsi s'établit notre tout premier rapport au monde, notre première façon d'aimer, avec la phase « sadique orale », comme la nomment les psychanalystes.

Cette violence du premier amour a disparu de notre conscience, elle a fait place à la culpabilité d'avoir mangé la mère, de même que le plaisir/déplaisir feront progressivement place aux notions morales de bien et de mal que nécessite la vie en société. L'infantile en nous ne disparaît jamais, il a été recouvert, mais il continue d'agir, encore et toujours. Il reste et restera toujours en nous l'empreinte

---

1. Cette relation « d'amour » dévorante s'incarnait encore dans la langue de nos grands-mères quand elles disaient à propos du nourrisson « il a besoin de prendre » pour dire qu'il avait faim, ou bien « il a rendu » pour dire qu'il avait vomi ou régurgité. Prendre, rendre, mettre en soi ou expulser hors de soi.

de ce bébé. L'univers kleinien qui dévoile la violence psychique est encore, et sera toujours, choquant et insupportable dans la mesure où il parle de ce que nous avons censuré et refoulé. En ce sens, le couple harcelé-harceleur dévoile un tabou, quelque chose d'innommable, d'insoutenable, d'intouchable.

Boire les paroles avec le lait

Pour le petit homme, contrairement aux autres espèces, la naissance a lieu trop tôt. D'emblée, il y a un décalage énorme entre le monde qu'il doit affronter et le dénuement dans lequel il se trouve. Heureusement, il y a les autres, sa famille, ses proches, la société des hommes. Au tout début de la vie, il est totalement dépendant de ses parents et d'abord de sa mère, en tout cas des personnes qui prennent soin de lui. L'entourage doit subvenir à tous ses besoins : chaleur, sécurité, nourriture, sommeil, il faut prévoir pour lui, organiser pour lui, et aussi penser pour lui, sans quoi il meurt. Un bébé que l'on se contenterait de nourrir sans aucun contact humain en mourrait[1]. Bien traiter un enfant,

---

1. Dans les années 1950, René Spitz, psychanalyste américain d'origine suisse, a montré que certains enfants en orphelinat sombraient dans une profonde dépression (dépression « anaclitique ») et pouvaient se laisser mourir faute d'attention, d'affection personnelle et de jeux

c'est préserver « son sentiment continu d'exister »,
l'expression est de Winnicott (pédopsychiatre et psychanalyste), qui ajoutait : « *Le nourrisson n'existe pas
sans la mère.* »

Durant les premiers jours, l'enfant n'est pas différencié de sa mère : lui c'est elle, et elle c'est le
monde ; indifférenciation au premier stade. Leurs
odeurs mêlées n'en font qu'une, il est la voix de sa
mère, il est ses bras, il est son sein, il est ce corps à
corps. Que veut-il ? A-t-il faim ? A-t-il soif ? A-t-il
sommeil ? A-t-il chaud ? A-t-il froid ? Cherche-t-il
sa compagnie ? Il est ce qu'elle croit qu'il désire.
Il est ce qu'elle croit qu'il demande. Il est parce
qu'elle lui suppose une demande, parce qu'elle lui
suppose un désir. Si elle ne suppose rien pour
lui, si elle ne rêve rien pour lui, il ne pourra pas
être, et plus elle suppose pour lui, plus il prend
consistance, plus il advient à lui-même. Il se voit
parce qu'elle le regarde, il s'entend parce qu'elle
lui parle, quand il sourit aux anges elle lui renvoie
son sourire, elle est sa psyché, « son appareil à penser[1] ». Si elle disparaît trop longtemps, il risque de

---

partagés avec des personnes familières. Cela malgré une alimentation
équilibrée et des conditions d'hygiène tout à fait normales.

1. « L'appareil à penser les pensées », l'expression est empruntée à
W.R. Bion, psychanalyste britannique mort en 1979, qui a travaillé
entre autres sur la psychose.

disparaître avec elle, de retourner au chaos, aspiré, anéanti, perdu. De la capacité de rêver de la mère, de lui parler, de le considérer comme une personne à part entière dépend la bonne santé psychique du nourrisson et sa capacité d'être humain, doué de langage, apte à symboliser. « *Il semble que pour l'individu humain la parole qu'on lui adresse soit le meilleur moyen qu'on ait trouvé pour lui permettre d'ordonner le monde*[1]. »

Son prénom qu'elle murmure en prenant soin de lui, le sépare peu à peu du corps à corps des premiers jours, tout en assurant sa continuité d'être. Par la voix, subtilement, cette parole permet à l'enfant de faire exister la mère, même durant son absence, et lui donne corrélativement le sentiment « de soi ». Car pour le petit homme, il n'est pas seulement question de s'adapter au milieu par l'apprentissage ou le conditionnement, mais de devenir un sujet à part entière, c'est-à-dire quelqu'un qui parle en son propre nom. L'enfant est avant tout un être de langage capable de symboliser, un « parlêtre » pour reprendre une expression de Lacan, c'est-à-dire une petite personne dès la naissance.

---

1. Citation de la psychanalyste Caroline Eliacheff dans le coffret DVD *Françoise Dolto*, « Tu as choisi de naître » de Elizabeth Coronel et Arnaud de Mézamat.

Manger ou être mangé

Pour le bébé, « lui c'est moi, moi c'est lui ». Mais alors qui suis-je ? Où se situe la limite entre lui et moi ? Cette proximité imaginaire est pour le moins troublante, elle ne va de soi pour personne. Elle n'ira jamais de soi. Elle induit inconsciemment un danger imminent de disparition dans l'autre dont notre narcissisme est marqué à jamais. À tout moment cette relation peut virer à l'affrontement radical. Il s'agit de sauver sa peau, de préserver son espace, de ne pas disparaître, réflexe de survie[1].

Le cannibalisme donne une idée de cette première relation libidinale qui consiste à incorporer l'autre en soi pour prendre sa force : si je mange, il va de soi que je crains d'être mangé en retour. Angoisses infantiles de dévoration à jamais inscrites en nous, comme le prouvent l'ogre et le loup dans les contes pour enfants, les Titans et les dieux dans la mythologie, la passion contemporaine des enfants pour les dinosaures.

En résumé, nous sommes donc, en tant que sujet, d'emblée et constitutivement attachés à l'autre. Cette relation en miroir est une relation narcissique, incontournable, mais intuitivement vécue comme

---

1. Voir chap. 5 « Le bouc émissaire », la violence de l'indifférencié.

dangereuse, vitale, mais mortelle comme l'illustre le mythe de Narcisse. C'est cette relation qui fait rage entre harceleur et harcelé (voir chap. 1 et 5).

L'autre risque à tout moment de me dévorer, de m'engloutir, de m'anéantir : « C'est lui ou moi », notre rapport aux autres est à jamais marqué de ce rapport originel, paranoïaque et imaginaire.

La violence de la naissance et de la relation première est inconcevable et impensable parce que nous l'avons refoulée (avant six mois). Et elle est inacceptable dans la mesure où elle casse l'image mythique de l'enfant innocent et pur. Or le harcèlement à l'école, au collège et au lycée donne à voir une agressivité brute, archaïque, indomptée, non encore civilisée ; et c'est à cause de cela que les adultes y restent si souvent ou si longtemps sourds et aveugles.

7.

LA RÉCRÉATION

L'agressivité d'avant les mots

Avant trois ans, à la crèche, il n'est pas rare de voir un enfant mordu jusqu'au sang venir exhiber sa morsure le plus naturellement du monde sous les yeux des grandes personnes paniquées. Cette violence d'un petit enfant sur un autre est difficilement supportable au regard de l'adulte et pourtant, pour l'agresseur comme pour l'agressé, c'est une façon de prendre contact. Tous les deux sont curieux l'un de l'autre, et cherchent à faire connaissance à leur manière. Parfois même, l'agressé vient en redemander à son agresseur. « Il observe comment on agresse », dit Dolto, « il fait une expérience ». Pour lui, c'est un signe d'intérêt de l'autre envers lui que d'être agressé. À cet âge, le rapport à l'autre s'établit encore sur un mode oral, permanence d'un temps où « aimer c'est manger ».

Autre scène courante à la crèche, un enfant, qui en voit un autre tomber et pleurer juste à côté de lui, peut se mettre à pleurer lui aussi. Ce n'est pas par empathie, mais parce que les frontières entre lui et l'autre sont encore floues et mouvantes. Durant quelques instants, il se prend pour l'autre, moment d'indifférenciation, de confusion. Il pleure par contagion, par « identification primaire », dit Freud. Cela vient du moment où il ne faisait qu'un avec sa mère, il est en train de se séparer et cela prend du temps (voir chap. 6).

D'abord, le sevrage aidant, l'enfant n'est plus nourri seulement par sa mère, ensuite il n'est plus porté, il se met à marcher, il s'éloigne progressivement des siens pour aller à la rencontre des autres enfants qui l'intéressent éminemment. Mais comme un enfant de moins de trois ans n'a pas encore sa psyché propre, il ne fait pas encore bien la différence entre l'autre et lui, non plus qu'entre les personnes et les choses.

Pour la même raison, un grand de vingt mois peut agresser un petit de quinze mois par peur de redevenir petit lui-même. Le petit lui renvoie son image, il se voit petit en lui, il se croit ce petit autre-là, proximité dangereuse, ressentie comme menace d'indifférenciation et ici en l'occurrence de régression.

Autre scène fréquente à la crèche : un enfant en tape un autre sur son passage, pour l'écarter de son chemin. Cette violence est symbolique, elle dit : *« Je veux passer et tu es sur mon chemin. »* Sous le regard de l'adulte qui accompagne les enfants, ces scènes, même agressives, deviennent des jeux et des rencontres avec l'autre. L'agressivité y joue un rôle central.

Au moment de l'accession à la parole, l'agressivité est vitale, elle est l'expression d'un désir de rencontre, dit Dolto. Avant trois ans, empêcher l'enfant de courir, de crier, de jeter c'est le museler, le ligoter, le couper de son désir et de ses moyens d'expression. Un enfant de vingt à trente mois qui ne « jette pas » est en grand danger psychique, il ne peut s'exprimer, il ne peut pas parler le langage de son âge.

Avant trois ans, la violence est en deçà du bien et mal. Vouloir l'éradiquer à cet âge aboutirait à priver l'enfant des futures armes de sa vie sociale, cela mènerait à le dresser, mais non à l'éduquer. Avant trois ans, il s'agit de canaliser son énergie en jouant avec lui, en mettant des mots sur ce qui se passe, en lui parlant, en suscitant sa curiosité. En énonçant ce qui est permis et ce qui est interdit, on demande à l'enfant d'arrêter de taper, de tirer les cheveux, de hurler... Quand un enfant souffre ou qu'il est heureux, il faut mettre des mots sur ce qui se passe, et l'agresseur comme l'agressé entreront progressivement dans le langage et pourront alors jouer ensemble.

Les interdits et la castration

Françoise Dolto[1] retient trois interdits fondamentaux : l'interdit du cannibalisme (sevrage), l'interdit du meurtre (ne pas se faire de mal à soi-même ou à l'autre), l'interdit de l'inceste. Pour grandir et pouvoir vivre en société, l'enfant va devoir intégrer progressivement ces interdits.

Françoise Dolto lie l'intégration de ces interdits à ce qu'elle appelle « les castrations symboligènes » : ce sont des étapes majeures dans le développement de l'enfant et communes à tous. Ces mutations sont absolument nécessaires pour grandir, mais difficiles dans la mesure où il s'agit de renoncer à un plaisir pour aller vers un autre. Les castrations se succèdent et répètent le même scénario : dans un premier temps l'objet de satisfaction est autorisé – téter le sein de

---

1. Françoise Dolto était médecin et psychanalyste, dès son enfance elle a voulu devenir « médecin d'éducation » (le terme est d'elle). « Un médecin qui sait que quand il y a des histoires dans la famille ça fait des maladies aux enfants. » C'est pourquoi elle a toujours situé la psychanalyse d'enfants dans sa connexion avec l'éducatif sans jamais l'y réduire pour autant.

la mère par exemple –, mais il viendra toujours un second temps lié au développement de l'enfant où ce même objet sera interdit pour pouvoir passer à autre chose : ne plus téter pour commencer à parler. Cet interdit doit être signifié verbalement et au moment opportun, par une personne aimée et aimante car c'est un moment douloureux. La castration est indispensable pour que l'enfant puisse devenir par la suite un individu à part entière et autonome. En ce sens, elle désigne une opération « symbolique » et non une mutilation physique ou psychique.

Vers six ou sept ans (l'âge de raison), l'enfant est en principe capable de distinguer le permis et l'interdit, de ne pas se blesser ou blesser l'autre, de s'intégrer au groupe, de différer pour obtenir satisfaction, mais cela ne va pas de soi, loin de là, comme le montrent les histoires de harcèlement dans la cour de récréation.

Le harceleur « hainamouré »

Arthur a huit ans, il est en CE2 et, depuis quelques semaines, il s'en prend systématiquement à Pacôme, un garçon de sa classe. Enrobé, pataud, peu dégourdi, couvé par sa mère et habillé comme une fille, Pacôme déclenche la colère et l'agacement d'Arthur qui, avec un autre copain, s'est mis à le harceler. Arthur est le petit dernier de sa famille, cadet d'une sœur aînée et fils chéri de sa mère à laquelle il est très accroché. Il admire son père dont il a hérité le talent artistique. Arthur et sa sœur se sont toujours beaucoup bagarrés, mais celle-ci vient d'entrer en 6ᵉ et joue désormais dans la cour des grands. Elle ne donne plus prise aux attaques de son frère. Quand il la cherche, il ne la trouve plus.

Du coup, un peu désemparé, Arthur ne sait plus sur qui défouler l'agressivité « hainamourée » qu'il vouait à sa sœur, ni à qui s'en prendre, à qui se mesurer, sur qui taper pour éprouver sa force, ses limites. L'épisode révèle ses difficultés à grandir en tant que frère cadet d'une sœur aînée au moment précis où celle-ci passe chez « les grands » alors que lui, le garçon, reste en primaire par la force des choses.

Cela ne suffit pas à expliquer ce qui vient piquer Arthur au vif chez Pacôme. En fait, ce qu'Arthur ne peut pas supporter en lui, c'est le « chéri de sa mère » qu'il déteste en lui-même, qui lui colle encore à la peau et dont il cherche à se dégager. Pacôme lui renvoie l'image de ce bébé dont il a bien du mal à se sortir. Il attaque alors Pacôme, comme à la crèche le grand s'en prend au petit qu'il ne veut surtout plus être et dont la proximité est dangereuse. Arthur est très identifié à son père dont il prendrait bien la place auprès de sa mère. Il est d'autant plus agressif qu'il est très attaché à ses parents. Depuis ses cinq, six ans, il se trouve dans ce passage difficile, où l'on doit intégrer l'interdit de l'inceste. Sa mère ne lui est plus tout entière réservée, il ne peut plus taper comme avant sur sa sœur pour passer la rage que cela provoque. Toutes ces frustrations, ces nœuds affectifs, cet enchevêtrement de mouvements contradictoires, toutes ces pulsions qui exigent satisfaction, il les reporte sur un autre objet – Pacôme en l'occurrence. La capture imaginaire dans l'autre, l'alter ego, le double, joue ici dans les deux sens : celui d'Arthur l'agresseur et celui de Pacôme l'agressé, lui aussi collé à sa mère dont il est l'unique objet. Le harcèlement peut servir de révélateur aux deux enfants et à leurs parents.

La mère d'Arthur est stupéfaite quand elle apprend les agissements de son fils. Mais elle-même étant en analyse, elle s'interroge, fait des liens et élabore. Elle parle avec son fils, elle est à son écoute et, sans l'incriminer ni le disculper, elle va l'aider à passer à autre chose.

À partir du moment où sa mère est au courant de l'affaire, Arthur va très vite cesser de harceler Pacôme et revenir à la raison. Pour lui, il s'agit d'une crise passagère, d'un ajustement.

Certains psychanalystes parlent dans ce cas de régression, ce qui peut laisser croire à des stades du développement que nous quitterions définitivement pour passer à d'autres plus évolués, mais ce n'est pas exactement ainsi que les choses se passent. Pour Arthur et Pacôme, en l'occurrence, il y a plutôt télescopage, chevauchement, affleurement, de deux positions libidinales, celle de la période narcissique avec ses relents de sadisme (voir chap. 6) et celle du conflit œdipien en pleine ébullition, qui s'y superpose. Il n'y a pas chez Arthur de fixation alarmante, plutôt un « hoquet du développement ».

Pour Pacôme, en revanche, ce sera plus compliqué : il cherche la compagnie des autres, mais il se fait régulièrement « jeter ». Les autres « flairent » en lui le « chéri de sa maman ». « Ils ne peuvent pas le voir », « Ils ne peuvent pas le sentir », le corps à corps s'incarne ici dans la langue, il est la marque d'une empreinte ineffable. Tant qu'il ne sera pas psychiquement mieux séparé de sa mère, Pacôme risque de devenir plus souvent qu'à son tour la cible idéale d'un autre Arthur, en plein démêlé avec lui-même. Pour Pacôme, il faudra donc attendre que sa mère et/ou lui réalisent qu'ils sont partie prenante dans cette affaire.

Dans ce cas précis, le harcèlement n'a pas duré trop longtemps grâce à l'intervention des mères d'Arthur et de Pacôme. En venant houspiller Pacôme, Arthur met son propre problème sur le tapis : « Qu'est-ce que c'est qu'être un fils, un garçon ?

Comment devient-on un homme ? Je ne veux pas rester le morveux de service ! » (Voir dans le même chapitre : « L'apprentissage de la loi : Œdipe ».)

La récré pour s'essayer aux autres

À la récré, garçons et filles font leurs premiers pas dans le monde, leurs premiers pas dans le groupe sans le secours des adultes. Ils jouent leur vie, ici et maintenant ; c'est sérieux, c'est fondamental, ça fait pleurer, trépigner, rire, ça fait peur aussi, mais il faut suivre. C'est « marche ou crève », c'est rarement tendre, souvent d'une dureté sans nom. C'est une épreuve, et pour eux c'est le début de la vraie vie. Vraies chutes, vrais pleurs, vraies histoires et pourtant c'est du jeu. On joue à la guerre, à la prison, à papa et maman, à construire une maison, à sauter d'un banc, « c'est pour de vrai ». C'est urgent, captivant, c'est pour « toute la vie », mais il suffit que la cloche sonne pour que les cris cessent et que les larmes disparaissent comme par enchantement. C'est fini.

La cour de récréation, espace de liberté où l'on peut courir, crier, taper, exploser, déverser ce qui bouillonne. Lieu où l'on peut donner libre cours aux pulsions qui nous agitent, nous traversent, nous dépassent et que l'on tente de contenir en classe quand il s'agit de rester assis et de se concentrer sur

109

une activité en présence de l'adulte. « À l'attaque », bruit d'explosion, coups de pied, hurlements, complicité, « amis », « ennemis », colère, tout se juxtapose, s'entrechoque.

Les enfants passent en un éclair du rire aux larmes, d'une émotion à l'autre[1]. À la maternelle puis au CP, ils apprennent progressivement à composer avec la réalité, à se policer, à se contenir, à canaliser leurs désirs, à différer leurs pulsions. Le principe du plaisir/déplaisir n'est pas encore supplanté par la morale du gentil et du méchant. Les requins, les crocodiles et les dinosaures sont des figures familières, excitantes, réjouissantes, qui font hurler de frayeur et de plaisir à la fois.

Vu de l'extérieur c'est la loi de la jungle qui prime, à y regarder de plus près il n'en est rien, il y a du jeu, des histoires, des adultes pas trop loin pour indiquer les règles qui protègent et les limites à ne pas franchir.

Alexandre, à terre, se fait rouer de coups de pied et de coups de poing par une poignée de garçons. Lorsque la cloche sonne, ils s'en vont. Alexandre

---

1. Dans son film *Récréations*, la cinéaste Claire Simon pose sa caméra dans une cour de maternelle et montre la violence et le plaisir qui se juxtaposent et se côtoient sans aucun problème à cet âge où le refoulement est encore tout frais et où les pulsions ne sont pas encore complètement inhibées, détournées, reliées.

arrête de hurler, se relève et prend tranquillement le chemin de la classe main dans la main avec deux petites copines qui viennent d'assister fascinées à son tabassage. Pierre, de son côté, abandonne dans l'instant la construction de sa maison et de son territoire qu'il a pourtant défendu bec et ongles durant toute la récré. Tels des comédiens quittant la scène, quand la cloche sonne la fin de la récré, les maternelles laissent tout séance tenante. On saisit ici la dimension symbolique du jeu, son importance capitale pour exprimer et mettre en scène les pulsions contradictoires qui nous traversent, pour faire « comme si » : « *On dirait que tu serais l'ogre et que tu me dévorerais tout cru et que moi je te planterais un couteau dans ta sale gorge et que tu vomirais tout ton caca par ta bouche* » : « *Ah oui ! Et mon goûter il sortirait par mon trou du cul.* » Rires sonores, les deux garçons s'attrapent, s'empoignent se roulent à terre, dans un corps à corps jouissif, bruits sourds de vrais coups assenés pour jouer. C'est une histoire qu'ils se racontent, qu'ils inventent ensemble et qu'ils jouent ensemble, dans l'espace clos de la cour, dans le temps limité de la récré dont la cloche vient marquer le début et la fin. « *Ils savent bien que c'est du théâtre,* dit Claire Simon, *que c'est un théâtre avec des vrais sentiments et des vraies blessures mais néanmoins un théâtre. [...] J'avais l'impression que Shakespeare était dans la cour, que les grands drames de l'humanité étaient là. [...]*

C'est-à-dire des choses terribles, des choses soumises aux sentiments[1]. »

La récréation est une arène, certes, mais aussi une scène, un lieu de liberté et de construction, où les enfants *« s'essayent à leurs semblables[2] »*. C'est bien sûr une jungle, un terrain d'affrontement, un ring, mais à l'intérieur de l'école un lieu de socialisation où la loi du talion est peu à peu recouverte par la loi humaine.

L'apprentissage de la loi : Œdipe

À l'âge de raison, vers six ou sept ans, l'enfant comprend que l'on ne peut pas toujours satisfaire son désir. C'est la lecture que Freud fait de l'Œdipe, à savoir qu'on doit renoncer à l'objet de l'autre. C'est l'accès au symbolique, l'intégration de la loi humaine. Le père qui barre le lit de la mère à l'enfant en est la métaphore. Le complexe d'Œdipe tend à démontrer que la relation entre deux êtres est par essence conflictuelle et incestueuse et en elle-même vouée au conflit et à la ruine, sans l'intervention d'un

---

1. Propos de Claire Simon interviewée par le producteur Richard Copans dans les suppléments du DVD *Récréations*, Les Films d'ici.
2. *Ibid.*

autre ordre qui fasse loi, et cet ordre, c'est celui du langage. Cet ordre est symbolique.

Comment négocier ce passage du permis à l'interdit, de la contrainte à la liberté, comment passer du rêve à la réalité, comment retenir ses mains de frapper, ses jambes de courir, comment contenir ses cris de joie ou de colère, ou cette bonne et grande envie de hurler, de s'époumoner, de se défouler, de prendre l'air, de le fendre avec ses muscles ? Comment canaliser, détourner, transformer cette énergie vitale, comment la contenir sans la tarir ou l'emprisonner, comment la sublimer, comment se civiliser, se socialiser sans se couper les ailes ? Mission impossible et pourtant nécessaire, tel est le paradoxe à soutenir, pour les parents, les éducateurs et l'enfant. Tel est le conflit sans fin qui nous fait humain. Et c'est à la lumière de ce conflit, entre haine et amour, permis et interdit, pulsion et sublimation, que nous abordons le harcèlement entre élèves. La violence peut à tout moment faire irruption et l'emporter sur la parole, la loi et la raison. La relation à l'autre est centrale pour l'édification du moi, mais instable et ambivalente, l'amour sans cesse sur le point de montrer les dents et l'amitié réversible en haine (voir chap. 6).

La bagarre peut être vue comme irruption pulsionnelle soudaine et passagère, simple projection, régurgitation violente et agressive : crachats, coups de poing, coups de pied, « prises de bec ». Les enfants défoulent encore violemment leur énergie « brute » mais cela s'arrête avec la fin de la récré. Dans le cas du harcèlement, au contraire, il n'y a pas de fin, pas de limite, pas de point de butée ; tout se complique. Sur un prétexte souvent aléatoire, comme nous l'avons vu, un enfant va s'en prendre à un autre, en faire systématiquement son souffre-douleur, les agressions vont aller crescendo et seront sans interruption. Quelque chose se répète, quelque chose ne passe pas…

8.

MALAISE DANS LA TRANSMISSION

Jordan le harceleur

Jordan est en 3ᵉ. Fils unique, il vit seul avec sa
mère. Chaque année depuis son entrée au collège,
il s'en prend à un nouveau camarade de classe dont
il fait son souffre-douleur. Chaque année, la mère
plaide la cause de son fils auprès des autorités éducatives de l'établissement et lui trouve des excuses quoi
qu'il fasse, quoi qu'il arrive. En 6ᵉ, elle a demandé
l'indulgence pour Jordan sous prétexte qu'il vivait
mal la séparation de ses parents. En fin de 5ᵉ, il
redouble ; ses notes ne sont pas bonnes, son comportement s'aggrave, même scénario. Le père de Jordan
reconnaît quant à lui qu'il y a un problème, mais il
a peu d'influence auprès de son fils auquel la mère
passe tout et offre tout, croyant compenser l'absence

du père et les « *souffrances de la séparation* ». « *En 6ᵉ, on avait vu en lui un petit enquiquineur*, explique l'infirmière du collège, *un enfant roi qui se prenait pour le centre du monde, mais sans plus. Actuellement, il est en 3ᵉ et c'est bien pire. Il fait subir des choses horribles à certains de ses camarades. Nous avons dû faire intervenir l'assistante sociale et la justice. Ç'a été de pire en pire d'année en année, il trouve chaque fois les bonnes victimes. Il s'est attaqué récemment à un enfant de 3ᵉ, petit en taille ; il lui était déjà tombé dessus, il l'avait pris par le cou et à moitié étranglé.* » En fin de 3ᵉ, Jordan est refusé en seconde générale, sa mère lui trouve une école privée.

Le harcèlement renvoie ici à un manque de limites flagrant. Jordan n'arrive pas à intégrer la loi parce que ses parents ne posent pas d'interdits, l'excusent, lui donnent raison contre l'autorité scolaire. Cette situation le met dans une position intenable qui l'oblige à aller toujours plus loin.

L'agresseur est aussi un enfant en souffrance

Contrairement aux apparences, Jordan est aussi vulnérable psychiquement que sa victime, le harceleur aussi mal dans sa peau que le harcelé. Il tente de remédier à son insatisfaction, à ses frustrations diverses et à son impulsivité en dominant les autres, mais il souffre de failles narcissiques profondes.

Il décharge son agressivité, se venge, se défoule sur un autre, qu'il juge plus faible et qu'il domine de son mépris, ou au contraire sur un autre susceptible de le supplanter. Il le fait sans détour et de manière brutale, pour masquer une fragile image de soi, dissimuler une vulnérabilité.

Le harceleur est un faible qui s'affirme par la force. La crainte qu'il inspire, le pouvoir qu'il prend lui donnent l'illusion d'être puissant et brave. Il a un impérieux besoin d'exister aux yeux des autres, dont il sait flatter les bas instincts et qu'il sait séduire.

Son manque d'empathie et sa violence envers l'autre mettent en évidence une difficulté relationnelle, une incapacité à différer son désir et son plaisir, autrement dit une absence de limites et une difficulté à intégrer la loi. Tous les désirs sont légitimes mais tous ne sont pas réalisables. C'est aux éducateurs ou aux parents d'amener l'enfant à intégrer cela faute de quoi l'enfant aura du mal dans sa relation aux autres (voir chap. 7).

Manque de confiance, amour-propre blessé, sentiment d'infériorité ou de honte ? Toujours est-il que le harceleur se sent mal regardé, mal considéré ou mal compris par son entourage. Il passe alors sa rage sur un autre dont il perçoit d'autant mieux les faiblesses qu'il les porte en lui-même. C'est la haine de soi qu'il déverse à son insu, de façon compulsive, répétitive, sur l'autre de son âge, de sa classe, frère ou sœur d'école, « compagnon d'infortune ». La sanction est nécessaire à l'encontre du harceleur, mais pas suffisante : l'enfant doit absolument trouver à qui parler. La difficulté tient au fait qu'il a choisi consciemment ou non d'ignorer la souffrance, la sienne comme celle des autres : impossible pour lui de mettre des mots sur ce qu'il ressent et d'humaniser ainsi ses sentiments, d'où cette violence physique et psychique qu'il décharge compulsivement. Il va donc falloir non seulement le rappeler à l'ordre et à la loi, mais dans le même temps l'aider à retrouver le chemin de ses émotions et de ses affects dont il est coupé, qu'il a pour ainsi dire mis de côté, « clivés », étouffés. Pour cela, une rencontre avec un adulte qu'il puisse admirer, estimer, respecter, et dont la parole fera autorité, est nécessaire. Tant que cette rencontre n'a pas lieu, le harceleur risque de persévérer dans son sadisme et ce malgré les sanctions et les exclusions. Car il faut entendre son comportement comme une difficulté et une provocation, mais aussi comme un appel. Il commet ses « sales coups » pour attirer l'attention sur lui, être regardé, pris en compte... Pour lui aussi les conséquences du harcèlement peuvent être graves, si l'on ne considère pas ses agressions répétitives comme l'expression d'un mal-être, si on laisse perdurer la situation, si l'on ne repère pas l'enjeu de son comportement et ce qu'il révèle.

Depuis longtemps, trop longtemps, Jordan cherche un cadre, des limites, mais il ne le sait pas. Quelqu'un qui pourrait l'arrêter, le border, le rassurer, établir des garde-fous, et une sécurité de base qui lui fait défaut. Une personne capable de s'interposer et de représenter la loi que ses parents semblent avoir eux-mêmes mal intégrée.

Simon : la honte

De l'école primaire jusqu'à la fin de 3ᵉ, des années durant, Simon se fait harceler par des camarades menés par une forte tête qui donne le ton. Le petit groupe se moque des parents de Simon, de leur look, de leur odeur, de leur mode de vie quasi marginal, dans ce village du Nord où sa famille est montrée du doigt et mal considérée. Aujourd'hui, après de brillantes études et un début de carrière prometteur, il ne s'est toujours pas remis de ces années de harcèlement qui ont mis à mal ses racines et son identité, qui pendant toute sa scolarité ont fait de lui un paria. Humilié à l'école, il l'était également à la maison par un père instituteur qui s'était donné pour mission d'éduquer ses enfants à la dure. Il matait Simon, le plus rebelle, à coups de ceinture et de punitions, toutes plus incongrues les unes que les autres. Ce père, qui faisait régner « sa loi » sur toute la famille, y compris la mère, avait lui-même été cassé par l'autoritarisme sans borne de son propre père (le grand-père paternel de Simon), grand bourgeois dont l'entreprise avait fait faillite. En plein XXIe siècle, ces histoires à la Mauriac ou à la Bazin abondent encore. Des histoires qui se transmettent d'une génération à l'autre, des histoires de parents tyrannisés qui tyrannisent à leur tour, ou qui tombent au contraire dans un laxisme tout aussi ravageur pour l'enfant que l'abus d'autorité.

Pour intégrer la loi et la faire sienne, l'enfant doit pouvoir expérimenter qu'elle est la même pour tous : pour les parents comme pour les enfants, pour les grands comme pour les petits. Elle ne dépend pas du bon vouloir d'adultes tout-puissants, tels le père et le grand-père de Simon ; faute de quoi le monde est coupé en deux, les grands qui commandent, les petits qui obéissent sans perspective d'évolution, les puissants et les faibles. L'enfant ainsi « dressé » ne grandit pas, il risque de se retrouver dans la peau du harcelé ou du harceleur, soumis ou prédateur.

On retrouve très souvent chez les harceleurs comme chez les harcelés une grande difficulté à intégrer la loi correctement, de manière à y trouver un intérêt pour construire sa vie avec les autres. D'un côté, le harcelé subit l'autorité écrasante en s'y pliant, en s'y conformant par obligation, pour se faire bien voir, gagner les bonnes grâces de l'autre, s'en faire aimer à tout prix. De l'autre côté, le harceleur répond à la violence par la violence et tyrannise à son tour. Le harceleur est prisonnier de ses instincts, le harcelé du regard de l'autre. Dans les deux cas, le rapport à la loi est « tordu », comme si elle était subie et non assumée, complètement extérieure, mal intégrée, elle est comme plaquée, non intériorisée, ni l'un ni l'autre ne parvient à la faire sienne.

Milo : *l'humiliation*

Rapport problématique à la loi également pour Milo, jeune adulte en quête de repères depuis la fin du primaire. Il raconte comment il s'est fait souvent exclure et malmener durant toute sa scolarité, et comment cela entrave aujourd'hui une grande partie de sa vie sociale. Il cherche désespérément à faire partie d'un groupe, il a l'impression que lui seul n'arrive pas à s'intégrer. Chaque fois qu'il est invité à une fête, à un mariage, à un week-end entre amis, il est paralysé d'avance et fait des crises d'angoisse. Il se sent perdu, il ne sait pas comment se comporter, il a peur de ne pas savoir ce qui se fait ou ne se fait pas, ce qui se dit ou ne se dit pas. Petit, Milo était dans la toute-puissance absolue, il se prenait pour le plus intelligent et se comportait avec ses copains sans respecter les règles élémentaires du savoir-vivre. Ses parents lui passaient tout et le considéraient comme un surdoué qui venait réparer leur amour-propre profondément atteint. Ils étaient aussi incapables de venir à la rescousse de leurs enfants que de leur indiquer des règles de conduite : en famille, ou avec les amis, son père et sa mère s'alignaient toujours sur le dernier qui parlait. Dans ce cas, l'enfant peut avoir l'impression que les autres ont tous les droits sur lui, que ses parents ne sont pas en mesure de le protéger. Il perd alors toute sécurité, comme s'il n'avait pas de parents, comme s'il était orphelin. Condamné à guetter chez le premier venu un regard approbateur ou une reconnaissance que les parents n'ont pas été en mesure de lui donner, il a du mal à construire son identité et il en souffre.

Le père de Milo et ses frères ont été maltraités par leurs parents, et s'en sont sortis comme ils pouvaient. Second de la fratrie, mal considéré, toujours pris pour un moins-que-rien, il a le sentiment de tout devoir à son aîné qui l'emploie dans son entreprise, mais le lui fait payer au prix fort. Ce discrédit absolu du père de Milo, cadet quémandant sans cesse la reconnaissance d'un aîné qui l'écrase de son mépris, retombe sur ses enfants à lui, telle la malédiction, ou le bannissement dans les tragédies grecques.

Cette attitude qui consiste à faire parader l'enfant, à le prendre comme faire-valoir ou bien au contraire à le livrer au pouvoir discrétionnaire du dernier qui a parlé relève d'une véritable névrose familiale. On voit ici comment la profonde faille narcissique du père se transmet à son insu depuis plusieurs générations. Milo a dû consulter un psy pour élaborer son histoire familiale, pour comprendre ce qu'il portait sans le savoir depuis sa plus tendre enfance, cette honte qu'il subit et qui ne lui appartient pas, mais à laquelle il s'est identifié au point de perdre toute contenance face à n'importe qui. Il flotte, perdu, inexistant dans le regard des autres qui se voient eux-mêmes en lui et donc se perdent ou se détestent en lui. Milo suscite alors le rejet de ses pairs, comme il suscitait en classe le rejet de ses camarades.

Névroses familiales

Pour Jordan, comme pour Milo et Simon, il y a malaise dans la transmission. Le harceleur peut être un enfant dont les parents ont pour une raison ou pour une autre été eux-mêmes humiliés – même chose pour le harcelé. Les parents ou les grands-parents du harceleur comme ceux du harcelé peuvent avoir été eux-mêmes harceleur ou harcelé. Dans tous ces cas de figure, quelque chose n'arrive pas à se dire qui reste en souffrance. C'est à cet endroit ignoré que harceleur et harcelé se rencontrent, s'accrochent et passent à l'acte : le harceleur en brutalisant physiquement et psychiquement, le harcelé en se faisant frapper.

Le harcèlement renvoie ici à des névroses familiales ou à des secrets de famille. Le harceleur comme le harcelé y sont pris, ligotés à leur insu, et le harcèlement, sa répétition, son insistance en sont le symptôme. Dans ces conditions, parents et enfants ne peuvent pas compter uniquement sur l'école pour régler le problème. Ils vont devoir interroger les drames, les espoirs, les douleurs qui agitent leurs lignées, ce qui se trame aux racines de leur identité. Et cela nécessite un accompagnement psychologique.

9.

LE RÔLE DES ADULTES

L'histoire de Samir

Samir est un petit garçon doux et réservé. Il va à l'école de son village. En CE2, il se met du jour au lendemain à bégayer. Ses parents l'emmènent voir une orthophoniste qui le suit pendant plus d'un an – jusqu'en CM1 –, et comme il ne progresse pas beaucoup en classe, ils mettent aussi en place un soutien scolaire. « *Au départ, on ne pensait pas du tout au harcèlement,* explique la mère de Samir, *on croyait que c'était lui qui avait un problème d'adaptation à l'école. On voyait bien que quelque chose n'allait pas, mais on pensait à des difficultés d'apprentissage. Il disait parfois que les copains l'embêtaient, mais il parlait tellement peu que nous n'avons pas réalisé ce qui se passait.* » C'est sa sœur, de cinq ans son aînée, qui a donné l'alerte. Après avoir lu un article dans *Le Monde des ados* sur la question du harcèlement à l'école, soupçonnant que son petit frère était harcelé, elle avait adressé un courrier au journal dans lequel elle demandait comment faire pour l'aider. Le journal avait répondu et publié un nouvel article sur le problème. « *Elle nous l'a montré, elle en a parlé un peu avec son frère et, du coup, nous avons commencé à nous poser des questions, d'autant que Samir était de plus en plus énervé quand il rentrait de l'école. Il faisait des crises à la maison, ce qui ne lui ressemblait pas.* »

Il a fallu un événement pour que l'affaire éclate au grand jour. En CM1, dans le cadre de l'Instruction civique, la maîtresse de Samir projette une vidéo réalisée pour la campagne de l'Éducation nationale sur le harcèlement au collège et au lycée[1]. Elle a choisi de passer à ses élèves celle qui montre un groupe de lycéens isolant sans ménagement leur victime dans la cour et lui mettant des claques à tour de rôle en lui disant : « *Lundi c'est le jour des baffes.* » Ces petits films, directs, précis, bien tournés, vont droit au but et ne laissent pas indifférents, mais ils ciblent chacun des tranches d'âge précises. Ceux-là s'adressaient à des collégiens et des lycéens et non à des CM1, âgés de neuf ans en moyenne.

---

1. Cf. le site de l'Éducation nationale : agircontreleharcelementa-lecole.gouv.fr

Le résultat ne se fait pas attendre. Le jour même de la projection, à 13 h 30, quand Samir arrive à l'école, le meneur et ses fédérés l'encerclent et reproduisent les gestes et les mots du film vu en classe le matin. Ce jour-là, Samir craque et raconte tout à sa mère à la sortie de l'école. Tout ce qu'il vit depuis un an et demi remonte à la surface. Dès la semaine suivante, délivré d'un énorme poids, il change d'attitude, et se met à se défendre. Mais il se fait alors punir par la maîtresse parce qu'il a donné un coup de poing à l'un de ses attaquants.

Ses parents vont voir l'institutrice et expliquent ce qui se passe. Peine perdue : l'enseignante ne veut rien entendre et estime simplement que leur fils est « *trop sensible* ». Les choses en restent là, jusqu'au jour où le harceleur de Samir tente de l'étrangler. Terriblement choqué, Samir refuse de retourner à l'école. Les parents rencontrent à nouveau la maîtresse qui reste sur sa position : « *Son point de vue c'était : je n'ai rien vu, donc ce n'est pas vrai, c'est Samir qui ment. Nous, on lui demandait de considérer que c'était peut-être possible et de regarder ce qui se passait vraiment dans la cour. Mais, à partir du moment où elle considérait que ça n'existait pas, nous ne pouvions pas remettre notre fils à l'école, nous nous sommes retrouvés terriblement isolés.* »

L'école de Samir est une petite école de village, il n'y a que deux maîtresses dont la directrice qui

131

fait le CM1. Les parents des autres élèves se taisent et s'éloignent. Par peur d'avoir des histoires, tout le monde s'aligne sur la toute-puissante directrice. Les parents de Samir, ostracisés, interpellent alors le maire qui conseille à l'enfant de « *cogner un bon coup !* » Les parents rédigent un courrier à l'Académie. L'inspecteur se déplace et rencontre uniquement la maîtresse-directrice qui persiste à dire que Samir ment. L'inspecteur s'en tient à cette version, les parents sont sommés de remettre Samir à l'école et menacés « oralement » de perdre les allocations familiales s'ils ne s'exécutent pas. « *Il ne nous a même pas rencontrés, nous avions le sentiment d'être seuls. Nous cherchions à protéger notre enfant, nous pensions que la direction de l'école, puis l'inspection pourraient nous entendre ; cela n'a pas été le cas.* » Ils reçoivent finalement un courrier de l'inspection déclarant que Samir est asocial et leur intimant l'ordre de remettre leur fils à l'école en vertu de la loi. « *De victimes nous devenions coupables. Pour l'inspecteur, c'était notre enfant le fautif.* »

En résumé, Samir, victime et traité d'asocial avec des difficultés relationnelles, est sommé de revenir dans une école où règne la loi de la jungle, où il est soumis, sans aucune protection, à la vindicte de ses camarades, et ce pour une période probatoire !

Accusés, rejetés, coupables, désorientés, les parents de Samir, qui connaissent pourtant bien le système – la grand-mère maternelle est institutrice et le grand-père éducateur –, sont heureusement soutenus par les amis, la famille et certains professionnels, dont le professeur de basket, la psychologue, l'orthophoniste et le médecin traitant. Tous connaissent bien Samir et peuvent témoigner de sa sociabilité, ce qui réconforte un peu les parents. L'association « l'école des parents[1] » leur sera également d'une aide précieuse pour tenir bon. « *Ce sont eux qui nous ont dit qu'il était trop en souffrance et nous ont aidés à garder confiance en lui.* » Ils décident de ne pas remettre leur fils dans cette école. Samir termine l'année scolaire à la maison où sa mère lui fait cours. À la rentrée suivante, il entre en CM2 dans un nouvel établissement.

Mais que font les adultes ?

Comment les parents de Samir si attentionnés avec leurs enfants ont-ils mis si longtemps avant de réagir ? Il a fallu que leur fils se fasse violemment agresser pour qu'ils réalisent ; ils se heurtent alors

---

1. Cf. le site de l'Éducation nationale : agircontreleharcelementa-lecole.gouv.fr : via le numéro vert stop harcèlement des conseillers de « l'école des parents » vous guident et peuvent vous mettre en relation avec le référent harcèlement de l'académie.

à l'incompréhension de l'institutrice, qui est aussi la directrice de l'école. Pourquoi n'a-t-elle rien vu, rien entendu ? Le harcèlement a lieu à l'école sous le regard des professeurs, éducateurs, directeur qui ne peuvent pas se contenter de surveiller et punir ; mais que peuvent-ils faire alors ? Pourquoi met-on cela si souvent sur le compte d'« enfantillages » ? Ces *enfantillages*-là ne souffrent pas qu'on les banalise, ni qu'on les sangle dans la routine.

Derrière le harcèlement, il y a des enfants qui souffrent, des parents désarmés, pris de court, horrifiés, qui se sentent coupables quand ils découvrent le désastre. Des parents hébétés, incrédules, qui se demandent pourquoi ? Pourquoi lui ? Pourquoi nous ? L'attitude des adultes parents et professeurs est révélatrice de la difficulté que nous avons en tant qu'adulte à évaluer ce qui se passe dans la vie de l'enfant et particulièrement le harcèlement (voir chap. 6). Or une situation de harcèlement ne peut pas cesser sans l'intervention des adultes.

Rétrospectivement, les parents de Samir réalisent que leur fils a subi des brimades incessantes durant plus d'un an et demi. « *Nous nous sentons coupables, c'est très dur, notre enfant était violenté, il a souffert et nous n'avons rien vu. Et pendant ce temps, il n'arrivait pas à apprendre et nous ne comprenions pas. Comment avons-nous fait pour ne rien voir ? Avec le recul, je me dis qu'on aurait dû faire autrement. Nous savions qui étaient les agresseurs, nous aurions pu aller les voir, parler aux parents, nous n'avons pas cherché à le faire parce que nous suivions la procédure de la maîtresse, considérant que c'était elle, qui était le plus à même de défendre notre fils. Mais elle n'a rien fait pour reconnaître son mal-être. Elle n'a pris aucune mesure pour mettre un terme à ce qui se passait. Depuis, je me suis renseignée sur le harcèlement, en parlant avec la psychologue et l'orthophoniste, j'ai compris que l'enfant harcelé a tellement peu d'estime de lui-même, tellement peu confiance en lui, qu'il a l'impression de mériter ce qui lui arrive. Il trouve normal qu'on lui tape dessus dans la mesure où il se croit nul. C'est terrible, mais c'est souvent comme ça que ça se passe. Samir est de la fin de l'année, il a toujours été le plus jeune de sa classe et il a toujours été sensible, inquiet d'aller à l'école. C'est peut-être à cause de cela qu'il s'est retrouvé en position de victime. Je suis persuadée finalement qu'il n'a pas menti, l'important était que quelqu'un l'écoute, qu'il soit reconnu dans sa souffrance et dans ce qui s'est passé. »*

Nul ne peut prévoir que son enfant va se faire harceler. Aux parents et aux enfants confrontés à une situation de harcèlement, la mère de Samir conseille d'en parler à l'entourage et d'agir, de changer de professeur et d'établissement au plus vite s'ils ne sont pas entendus : « *Il faut se faire aider par des professionnels, des psy ou des associations comme "L'école des parents"… Et surtout il faut écouter son enfant. On a trop tendance à se dire que l'enfant peut mentir et à mettre en doute systématiquement sa parole. Avec le recul, je crois que nous sommes passés à côté parce que nous n'avons pas assez écouté Samir, nous n'avons pas eu assez confiance en sa parole. »*

Encore faut-il pouvoir donner autant de poids à la parole de l'enfant qu'à celle de l'adulte… Les parents de Samir, comme ceux de Julie (voir chap. 2), comme la plupart des parents d'enfants harcelés, ont accordé trop de crédit à « l'autorité ». Ils ont en quelque sorte obéi, tels des enfants trop sages, ou des enfants traumatisés, et se sont soumis, mais ils ont fini par s'interroger et par se remettre en question et ont fait appel à des professionnels. Depuis, Samir consulte un psy pour ne pas se retrouver à nouveau en position de victime.

Après avoir fait son CM2 dans une autre école où il a repris un peu confiance, Samir a été inscrit par la force des choses dans le même collège que son agresseur. Il n'était pas dans la même classe que lui, mais il redoutait toujours de le croiser. La rentrée en 6ᵉ a donc été périlleuse : « *Samir était parfois un peu trop agressif, angoissé, à fleur de peau. Au moindre événement, il paniquait*, raconte sa mère. *Un jour, une fille de la classe lui a collé un tatouage sur la joue, tout le monde s'est moqué de lui, il a cru que tout allait recommencer et que c'était fini, qu'il ne pourrait plus retourner au collège.* » Cette fois, il en a tout de suite parlé. Depuis, Samir s'est fait des copains, il se sent plus à l'aise avec les autres, moins inquiet et il circule plus librement dans le collège ; l'équipe éducative est prévenue et attentive à sa situation.

Dépister le harcèlement à l'école

La lutte contre le harcèlement à l'école, au collège et au lycée fait l'objet en France d'une campagne nationale, et des mesures ont été prises afin de sensibiliser le personnel éducatif[1]. Sur le terrain, la lutte contre le harcèlement passe moins par l'application de directives que par un travail d'équipe qui nécessite une approche globale de l'éducation et qui ne réduise pas le rôle de l'école, du collège ou du lycée aux apprentissages. Il ne suffit pas d'expliquer en cours que le harcèlement « ce n'est pas bien ». Si cela suffisait, l'agresseur de Samir ne se serait pas jeté sur lui juste après avoir assisté au cours de prévention dispensé par la directrice. Il s'agit pour les équipes éducatives de s'impliquer quotidiennement et de créer ensemble, chacun à sa place, chacun dans sa fonction, un climat favorable à la vie collective et aux premiers pas des filles et des garçons en tant que jeunes citoyens. Cela nécessite, de la part de chaque membre

---

1. Cf. le site de l'Éducation nationale.

de l'équipe, une ouverture d'esprit, une exigence, une rigueur et une écoute toujours renouvelée envers les élèves. Professeurs, CPE, psy, infirmière, chacun joue. sa partition. Mais il s'agit de jouer ensemble, d'où l'importance du chef d'établissement.

La directrice de l'école primaire de Samir n'a pas fait preuve de grand discernement, ni celle de « Julie lunettes » (voir chap. 2), ni celle de Léo (voir chap. 1), c'est le moins qu'on puisse dire ! Cela peut arriver dans des petites structures d'école primaire quand le directeur cumule trop de fonctions et se trouve dépassé. Cela arrive aussi dans des collèges et des lycées quand un proviseur un peu trop préoccupé par son plan de carrière aspire uniquement à ce qu'il n'y ait pas de vagues dans son établissement. Le collège qui accueille Samir en 6e est en revanche exemplaire en termes de suivi et de respect de l'élève.

Écouter pour agir

Le nouvel établissement de Samir est constitué d'un collège, d'un lycée général et d'un lycée professionnel. L'infirmerie se trouve au cœur du dispositif. Située au sous-sol, loin des regards indiscrets, elle est devenue un lieu important pour beaucoup d'élèves. Ils savent qu'ils peuvent venir déposer là, en toute confiance, sans être jugés ni trahis, leurs peines de cœur, leurs petits bobos, leurs coups de blues, leurs soucis, leurs interrogations. Ils savent qu'il y a là deux infirmières perspicaces, pleines de tact, capables de les écouter avec la distance nécessaire, de les conseiller. Ils savent qu'elles « assurent » en cas de coups durs. Le bouche à oreille fonctionne très bien. Il y a souvent la queue à la récré, mais ce n'est pas la chaîne ; chacun se voit accorder le temps nécessaire en fonction de l'urgence et de la gravité de son problème. La disponibilité est primordiale en l'occurrence, si l'on ne veut pas passer à côté de ce qui amène l'élève à l'infirmerie et qu'il est loin de pouvoir dire d'emblée.

Personne ne dit jamais tout de suite qu'il est harcelé ; le mot n'est pas prononcé, puisque le harcelé ne sait pas qu'il est victime de harcèlement : « *C'est plein de petites choses qu'il va falloir décoder*, explique l'infirmière, Véronique Lothe. *Quelqu'un par exemple qui vous glisse, mine de rien, avoir eu droit plusieurs fois de suite à une ou deux réflexions sur son poids. Vous passez à côté du problème si vous minimisez la chose en disant, comme nous avons tendance à le faire nous adultes : "Ah, ce n'est rien, il faut prendre de la distance !", alors qu'il se fait traiter de gros tous les jours et que ça le détruit petit à petit. Dans les situations que nous croisons, nous n'avons pas toujours conscience de la notion de harcèlement telle que les élèves la vivent. Il faut être vigilant. On a rarement des jeunes qui nous interpellent de façon directe en nous disant : "J'ai un gros souci."*

139

On va plutôt s'apercevoir que certains se mettent à venir souvent. Au bout de quelques visites, on tend l'oreille, on essaie d'être un peu plus attentif, de discuter. On essaie d'ouvrir la conversation, d'établir la confiance. En général ils viennent d'abord nous tester un petit peu. Il ne faut jamais être dans la précipitation pour leur donner une réponse, c'est très important. Si nous sentons que quelqu'un ne va vraiment pas bien et que nous n'allons pas pouvoir lui accorder suffisamment de temps, nous lui proposons de revenir à un moment plus calme. »

Une histoire de harcèlement sexuel

Les préoccupations des ados tournent principalement autour des relations amoureuses et amicales qui constituent la grande partie du temps d'écoute ou de conseil. C'est parfois compliqué parce qu'ils sont à l'école pour apprendre et que les enseignants mettent une énorme pression sur le scolaire, mais il ne faut pas oublier que l'école est aussi un lieu de socialisation. Pour les élèves de 3e et 2de le programme est chargé et cela se passe en même temps que l'adolescence. Ce qui est loin d'être évident.

La jeune Sylvie a commencé par venir fréquemment à l'infirmerie pour maux de tête et de ventre. Très timide, très réservée, avec de grandes difficultés d'élocution, elle n'avait pas les mots pour exprimer ses émotions : « *Au bout d'un moment*, raconte Véronique Lothe, *on s'est bien rendu compte que quelque chose n'allait pas.* » Il a fallu trois semaines pour déceler ce qui se passait. Sylvie a fini par dire qu'elle ne se sentait pas bien avec les autres et une jeune fille qui faisait partie des « suiveurs » a « lâché le morceau ». Une sorte de rituel s'était mis en place : « *Quand Sylvie arrivait le matin au lycée, un groupe de jeunes l'attendaient et lui demandaient de se déshabiller devant eux.* »

Cela a duré plusieurs mois. Les lycéens ont le droit d'accéder aux locaux avant que les professeurs n'arrivent, cela se passait donc juste avant l'heure des cours. Les bâtiments sont immenses, avec des recoins, et plein de couloirs. Il est assez facile d'échapper au regard des adultes malgré la surveillance réglementaire. « *Ce n'est donc pas la jeune fille harcelée, mais une autre qui a pu raconter précisément les faits, et j'ai pu ensuite reprendre les choses avec Sylvie, on a pu mettre les mots sur ce qui s'était passé. Sylvie était en section CAP, elle avait de sérieuses difficultés cognitives et un look peu conforme aux codes sociaux de cet âge, des lunettes épaisses, des vêtements datés, la coupe pas branchée du tout, toute gentille, toute appliquée. Donc la cible idéale.* »

Finalement, cette situation s'est résolue en interne : les élèves fautifs et leurs parents sont venus ; il y a eu des excuses. « *Ça n'était pas facile de décider de la suite à donner à l'affaire, il y a eu des sanctions avec renvoi*

141

de certains élèves, mais nous n'avons pas déposé plainte. Nous étions à deux doigts de faire un signalement. Mais, après réflexion et avis du médecin scolaire, nous nous sommes rendu compte que ça aurait fait plus de mal que de bien à la jeune fille. Au fond, elle souhaitait par-dessus tout s'intégrer. Elle ne supportait pas d'être rejetée, c'est même pour cette raison qu'elle avait fait ce que les autres lui demandaient. Il a fallu travailler avec elle pour qu'elle apprenne à se positionner, pour que son comportement n'incite pas les autres à lui faire faire n'importe quoi. Ce que je dis là peut paraître choquant, on dirait presque que c'était de sa faute, mais ce n'est pas cela du tout, évidemment. Sylvie a finalement redoublé. Elle s'est bien intégrée à sa nouvelle classe. Elle a réussi son CAP, elle a même été la seule de sa classe à trouver un emploi à l'issue de son stage. »

On a ici l'exemple d'une équipe qui aborde chaque situation dans sa singularité, et qui respecte l'élève dans sa différence. Sylvie, malgré son handicap, a pu trouver à qui s'adresser et a pu évoluer. Sans cette rencontre avec l'infirmière, son calvaire aurait pu durer encore des mois. À quelles extrémités aurait-elle été réduite ? Dans quel marasme psychique risquait-elle de sombrer ? « *Ce genre de harcèlement est courant dans les classes de CAP où il y a une grande disparité entre les élèves. Certains ont de sévères difficultés, mais, comme Sylvie, ils sont désireux de bien faire. Les autres, arrivés là après un parcours chaotique, jouent aux caïds, mais ils souffrent d'un grand manque d'estime de soi, avec un niveau scolaire "pas top", un milieu familial et social parfois difficile, alors ils s'efforcent d'exister d'une façon ou d'une autre. Je ne les excuse pas ; ce qu'ils ont fait est inadmissible et leur acte répréhensible, mais ce ne sont pas eux qui sont inadmissibles, c'est ce qu'ils ont fait. »*

Désamorcer pour éviter l'engrenage

À condition d'être vigilantes, les équipes éducatives peuvent désamorcer rapidement la plupart des situations.

Dans le même collège – au lycée général, cette fois-ci –, le professeur d'histoire qui est aussi prof principal repère la baisse soudaine des notes de Martin, un très bon élève. Son comportement aussi a changé, il ne participe plus au cours, alors qu'il était très présent et levait souvent le doigt. Très vite, le professeur principal, inquiet, avertit le prof d'éducation physique et sportive avec lequel Martin se sent en confiance. L'enseignant prend Martin à part. Au bout de quelques entretiens, Martin finit par se confier. Depuis quelques semaines, il subit les menaces et les intimidations de deux élèves de sa classe qui lui intiment l'ordre de se taire et de faire en sorte de moins briller par ses notes... Ils l'ont déjà molesté deux fois à la sortie du lycée.

L'enseignant obtient l'accord de Martin pour intervenir. Sans attendre, avec le professeur principal, ils vont voir les deux élèves en question et leur laissent entendre qu'ils risquent gros à menacer ainsi leur camarade. « À bon entendeur, salut ! » Les profs n'auront pas à le dire deux fois : l'affaire s'arrête du jour au lendemain. Les deux garçons ont trouvé deux adultes à qui parler, deux professeurs directs et réactifs qui n'y sont pas allés par quatre chemins pour se faire comprendre. Rapidement, les deux enseignants se sont concertés et n'ont pas eu peur de prendre leurs responsabilités avant que la situation ne se dégrade. Ils ont pris le risque de parler, de s'engager, de s'interposer, évitant ainsi le recours à une procédure administrative lourde, dont les conséquences auraient pu être graves.

« *Pour enrayer la mécanique infernale du harcèlement, il suffit que la victime change de comportement* », mais quand on est victime, justement, il est impossible de changer de comportement tout seul. C'est particulièrement vrai pour les plus jeunes. « *Je pense notamment à Kevin,* remarque Véronique Lothe. *Un enfant arrivé cette année en 6ᵉ. Il était clairement la cible idéale, petit, fragile avec des soucis de santé (allergies), dernier garçon de sa fratrie, un peu chouchouté. Les profs nous l'ont signalé parce qu'il avait beaucoup de tics, ça les interpellait. Du coup, j'ai convoqué ce garçon à la visite médicale que nous faisons passer sys-*

tématiquement à tous les 6, *nous voyons en priorité ceux qui ont un souci particulier. Je le reçois, le contact se fait facilement avec lui parce que ses deux grands frères sont passés dans notre établissement. Il a effectivement des tics impressionnants, une grande timidité, un côté un peu bébé, et il est très anxieux. Au fil de la discussion, j'apprends qu'il n'arrive pas à s'endormir sans sa maman, qu'il se réveille la nuit et que dans ce cas il appelle ses parents, chose relativement rare en 6*. Quand je lui demande ce qui lui fait peur, il me répond : "C'est les ombres !"* »

En consultant son dossier, l'infirmière s'aperçoit qu'il est très lent dans les apprentissages, qu'il a des soucis de dyslexie et qu'à partir du CM1 une dysgraphie[1] est apparue. « *Connaissant les parents et les grands frères, je savais qu'il y avait un environnement sécurisant à la maison. Je n'ai pas forcément pensé au harcèlement, mais il était évident que Kevin avait des problèmes. J'ai donc rencontré la maman qui a pu nous dire, une fois en confiance, que son fils avait été harcelé par des enfants de sa classe durant plus d'un an. Kevin avait une bonne intelligence, mais une certaine lenteur, un peu plus long à terminer son travail que les autres, il est devenu l'objet des moqueries de toute la classe qui le traitait de débile, l'excluait systématiquement des jeux*

---

1. Difficultés de graphisme, tenue du crayon crispée qui rend le geste même de l'écriture difficile.

de groupe : "Non toi tu peux pas, t'es trop bête." Le harcèlement avait sapé son assurance, c'est à ce moment-là que les tics sont apparus, ainsi que la dysgraphie. Le geste même de l'écriture était empêché et cela ralentissait énormément son travail. Kevin a toujours beaucoup de tics, apparus également avec le harcèlement, un peu comme une protection. » Le harcèlement est un cercle vicieux : la lenteur de Kevin a fait de lui une victime, mais du fait du harcèlement, ses difficultés ont empiré, il n'a pas pu trouver de stratégies de compensation pour aborder les apprentissages comme le font d'autres élèves quand ils sont en sécurité.

Qu'en est-il du harceleur de Kevin ?

« *Comme Kevin, il vient d'entrer en 6ᵉ, je vais simplement lui poser des questions. Je vais lui demander comment s'est passé le primaire, comment il s'y sentait, s'il avait des amis. Je n'évoquerai pas de façon directe la situation puisque c'est quelque chose qui s'est passé il y a deux ans, il se peut qu'il ait mûri et changé depuis, mais il faut en même temps rester vigilant et regarder comment il se comporte aujourd'hui, et la façon dont il a évolué.* »

Les groupes de parole

À cet âge, tout peut aller très vite dans le bon sens comme dans le mauvais, d'où la nécessité d'agir avec discernement, mais rapidement. Comment et de quelle manière ? Sans préparation et sans implication de l'équipe pédagogique, la prévention prend inévitablement un tour idéologique et moralisateur.

Comment mener une politique de prévention digne de ce nom ? Le collège de Kevin ne prétend pas éradiquer une fois pour toutes la violence, ni éviter tous les cas de harcèlement, ni même pouvoir tous les déjouer. L'équipe n'a pas déclaré officiellement de lutte contre le harcèlement à proprement parler.

La prévention procède d'une réflexion plus large, elle cherche à créer un climat favorable offrant aux élèves du collège et du lycée la possibilité de s'exprimer, de mettre des mots sur ce qui les préoccupe et les intéresse au plus haut point : Comment faire pour plaire ? Comment faire pour se défendre ? Comment avoir des copains, des copines ? Pourquoi suis-je tout seul, malheureux avec l'impression d'être différent des autres, toujours à côté de la plaque ? Suis-je beau ? Suis-je moche ? Suis-je intelligent ? Suis-je à la hauteur ? Il s'agit d'être « populaire », bien vu, et non rejeté ou transparent ; il s'agit d'échapper à l'anonymat, de ne pas passer pour un « bolosse », de sortir du lot. Il s'agit en fait d'être aimé, d'être respecté pour ce que l'on est. La plupart du temps ces questions ne sont même pas formulées, d'où la confusion et l'agitation, d'où les difficultés du groupe et des individus dans le groupe, d'où les angoisses et la peur de l'autre.

Le travail de l'équipe éducative va consister justement à amener les élèves à formuler les questions qui les intéressent, les passionnent, tenter de répondre à ce qui les préoccupe, les envahit et parfois les tourmente.

« *Pour les 6ᵉ, nous visons en priorité la socialisation au collège,* explique Véronique Lothe, *avec la conseillère principale d'éducation, nous avons conçu cinq séances de groupe de parole par demi-classe. Nous animons ces séances à quatre ; les deux infirmières, l'assistante sociale et un éducateur de rue. Il s'agit pour commencer d'apprendre à reconnaître ses émotions. Nous introduisons chaque séance par un conte. Ils adorent qu'on leur lise des histoires. Cela dure trois minutes et nous nous en servons maintenant au lycée professionnel avec des jeunes de dix-sept ans. Nous prenons par exemple l'histoire du faucon impérial, un conte sur la colère, et nous leur demandons de la reformuler avec leurs mots, de nous dire ce qu'ils en ont compris, ce que cela évoque pour eux. Se sont-ils déjà mis en colère ? À quelle occasion ? Ont-ils déjà vu des gens en colère ? À quoi cette histoire leur fait-elle penser ? En général, ils ont plein de choses à dire et puis ensuite on élargit.* »

« *À quoi servent nos émotions ? Nous expliquons qu'elles servent de signal, qu'elles ne doivent pas nous dominer, que nous devons nous en rendre maître, mais qu'elles sont en revanche très importantes. Il faut* apprendre à les reconnaître et comprendre ce qu'elles signifient, les interpréter chez l'autre aussi peut aider à éviter les embrouilles. Il y a des séances sur les valeurs, le courage, le mensonge avec des jeux de rôle. Le conte de la perdrix montre qu'à plusieurs on est plus fort ; à cette occasion-là nous parlons des leaders, des suiveurs, de la place que chacun est amené à occuper dans la classe, dans le groupe, dans les relations sociales, du fait de sa différence. Ces séances sont très importantes pour faire face au harcèlement, même si nous n'abordons pas le sujet directement. »

La prévention du harcèlement est vraiment un objectif sous-jacent à ces groupes de parole qui visent à ce que chaque élève se sente plus à l'aise au collège. Il s'agit de mettre des mots sur des émotions, des sensations, des affects qui souvent les bouleversent et prennent une place prépondérante. De ce fait, ils se comportent mieux en cours. « *Ils sont mieux dans les apprentissages s'ils savent qu'il y a un endroit où ils peuvent venir déposer leurs lourdes valises, celles qui contiennent tout ce qu'ils vivent. Et surtout, nous – les deux éducateurs de rue, les deux infirmières, l'assistante sociale, la CPE – nous présentons comme autant d'adultes auxquels ils peuvent s'adresser, de personnes à qui parler. Chacun peut trouver la personne avec laquelle il va accrocher, à qui il va oser parler. Nous sommes très différents les uns des autres, ils ont le choix.* »

Ces séances de groupe demandent beaucoup d'expérience, de tact et de professionnalisme, elles permettent de repérer des enfants en mauvaise passe. Ils sont alors parmi les premiers convoqués à la visite médicale : « *Et là, on leur demande de noter leur moral sur une échelle de 0 à 10, ce qui permet de déceler des difficultés. Les élèves de 6ᵉ doivent en principe avoir un moral de 8 au moins – s'ils nous annoncent 4 ou 5, c'est qu'il y a un souci. À nous alors de créer la confiance. Je n'hésite pas à appeler les parents, toujours en prévenant le jeune, et avec son consentement. S'il ne le souhaite pas, j'essaie de travailler avec lui pour qu'un jour ce soit possible. Il est toujours payant d'attendre. Nous rencontrons de plus en plus de phobies scolaires et j'ai bien peur qu'un grand nombre d'entre elles ne soient liées à des faits de harcèlement. Cela va en augmentant ces cinq dernières années, à cela s'ajoutent de nouvelles formes de harcèlement avec Facebook, en augmentation rapide également.* »

Ce qui est remarquable dans la manière dont travaille cette équipe éducative, c'est qu'elle n'applique pas une « technique de communication » pour faire passer un « message ». Il n'y a pas un adulte qui délivre la bonne parole face à un enfant qui la reçoit. Mais un échange entre deux générations qui prennent le risque de parler et de se parler.

10.

SORTIR DU HARCÈLEMENT

Quand les adultes répondent présents : le cas exemplaire d'Anatole

Anatole est en CE1. Il vient de se faire rouer de coups à la récré, il est allé aux urgences : épaule déboîtée. La semaine précédente, c'était un énorme coup de poing dans le ventre. Trois mois que ça dure. Régulièrement, sa mère doit aller le chercher à l'infirmerie, il a mal au ventre, il vomit. Anatole voudrait être comme les autres mais se sent à part, tout seul. Pourtant il est très grand, très fort pour son âge. Il dépasse d'une tête celui qui le harcèle et monte les autres contre lui. Physiquement, il pourrait n'en faire qu'une bouchée et assurer une bonne fois pour toutes son périmètre de sécurité. Mais, chaque fois, il est pris au dépourvu, il ne sait pas comment répondre à cette violence qu'il ne reconnaît pas. Il ne se défend pas. Il n'a pas appris à frapper. Il pense qu'on doit parler avec les autres au lieu de les frapper. Il parle bien – très bien justement. En tout cas trop bien pour celui d'en face qui n'a que ses poings et qui, visiblement, n'a pas reçu la même éducation. Très mûr pour son âge, Anatole est très à l'aise avec les adultes mais c'est avec ses camarades, avec ceux de sa classe qu'il veut être. Il passe des récrés entières un peu à l'écart, sans bouger, à regarder les autres jouer aux billes, concentré, curieux, intéressé. Ce qui frappe chez lui de prime abord, c'est son air très sérieux. Est-ce cela qui a attiré les foudres du harceleur ? Difficile à dire.

Pour le harceleur, la question ne se pose pas. D'ailleurs, il n'y a pas de question. Que peut-il dire de sa violence, ce petit chef qui n'a pas les mots, sinon « qu'il ne peut pas encadrer Anatole », qu'il ne peut pas le voir, ni le sentir. Cela le dépasse largement, et nous nous retrouvons ici dans le registre de l'archaïque (voir chap. 6). S'il avait la possibilité de mettre des mots sur ce qu'il ressent, sûrement s'exprimerait-il autrement qu'avec ses poings ? Peut-être même jouerait-il avec Anatole et mêleraient-ils ensemble leur monde, leurs rêves, leur univers. Mais cela lui est impossible, alors il cogne, il insulte, il agresse. Anatole se sent tellement étranger à cela qu'il va jusqu'à se demander s'il n'est pas fou. Comment comprendre que ce qui le stigmatise pour l'instant va par la suite le sauver ? Quand sa mère tente de le rassurer, Anatole répond : « *Comment veux-tu que je te croie ? Tu es ma mère. C'est gentil ce que tu me dis, mais ça ne sert à rien.* » Non qu'il n'accorde aucun crédit au dire de sa mère mais, en l'occurrence, la reconnaissance ne peut pas venir d'elle – qui l'a depuis longtemps reconnu. L'enjeu est ici de trouver sa place parmi ceux de sa génération, d'être reconnu hors du giron familial.

En attendant, la mère d'Anatole va voir le directeur et lui expose la situation. « *Vous êtes inquiète, madame ?* » lui demande-t-il. Elle hésite une seconde, le directeur enchaîne : « *À votre place, je le serais.* » Il lui expose sans détour les difficultés de l'établissement confronté à la violence – crans d'arrêt qui circulent dans la cour, règlements de compte, chantages… La situation est difficile, mais l'équipe éducative, motivée, fait front avec une constance exemplaire. « *Nous avons trouvé des interlocuteurs géniaux* », raconte la mère d'Anatole. « *Directeur, psychologue scolaire, pédopsychiatre…* » Quand la question d'un changement d'école se pose, la mère d'Anatole refuse : « *Il faut surmonter cet obstacle, car ce qui se produit ici se reproduira ailleurs.* »

Alors Anatole va rester et se battre. La psychologue le reçoit plusieurs fois pour lui faire passer des tests qui révèlent qu'il a les émotions de son âge, mais que son intellect est celui d'un enfant de quatorze ans. « *En classe, il se débrouillait pour ne pas sortir du lot, afin de ne pas passer pour un intello. Du coup les profs n'avaient pas spécialement remarqué qu'il était très en avance.* » Faut-il sauter une classe ? À la suite des tests, la question se pose. La décision est délicate, car il y a, à ce moment de la vie d'Anatole, discordance entre l'émotionnel et l'intellect. La mère décide que c'est l'affaire de l'école et de son fils. « *Je ne voulais pas le mettre dans une école à part, une école pour surdoués, j'aurais eu l'impression que mon enfant était handicapé.* »

Après s'être concertés, la maîtresse, le proviseur et Anatole optent pour un passage du CE1 en CM1, auquel la mère donne son autorisation. « *Heureusement que ça s'est passé ainsi*, explique-t-elle, *parce que l'adaptation a été difficile dans la nouvelle classe.* » Anatole tente plusieurs fois de reprocher ce choix à sa mère, laquelle, chaque fois, le renvoie à sa décision. Pendant ce temps, il consulte régulièrement un pédopsychiatre qui l'incite à se défendre, à riposter, à se battre. Mais Anatole a peur de se faire punir, de faire mal, jusqu'au jour où il donne une raclée au leader suite à quoi les autres lui demandent de devenir chef ! Anatole n'en a aucune envie ! De retour à la maison, il raconte tout à sa mère et éclate en sanglots. « *Si tu ne désires pas devenir le chef, tu ne le fais pas*, suggère la mère, *tu dis que tu veux juste qu'on te fiche la paix.* »

À partir du CM2, Anatole va finir par se sentir bien. « *Actuellement, il a une bande d'amis, pas les plus bêtes, avec lesquels il fait plein de choses complètement idiotes parfois, mais il se retrouve enfin avec les siens, c'est important de pouvoir faire l'idiot avec les autres* », conclut sa mère dans un sourire.

Le cas d'Anatole est exemplaire dans la mesure où il est très bien entouré : parents, équipe éducative, psychologue, pédopsychiatre ont su se concerter et chacun a pris ses responsabilités. Le chef d'établissement, professionnel avisé, direct et sans détour, a fait preuve d'humanité et de perspicacité. La mère est intervenue toujours à propos, active, à l'écoute, présente mais sachant laisser l'initiative à son fils et à l'équipe pédagogique en temps voulu. Il est difficile et rare en tant que parent d'arriver à tenir ainsi une juste place. Sans donner raison ou tort à son fils, elle le soutient et lui offre ce faisant la possibilité de prendre sa vie en main au lieu de faire les choses à sa place. Elle est restée en retrait tout en étant à l'écoute et très disponible. Elle n'a incriminé ni l'établissement ni les harceleurs. Elle a juste cherché à accompagner son fils pour qu'il se sorte de cette mauvaise passe. En un mot, elle n'aime pas son enfant comme son objet, sa mascotte, son précieux, ou un prolongement d'elle-même. Elle l'aime comme

157

une personne de huit ans qui doit grandir avec les autres et trouver sa place dans la société.

Patricia : le harcèlement traumatique

Trente ans après avoir été harcelée, Patricia trouve à qui parler en la personne de son psychanalyste ; elle a alors quarante ans. Pour la première fois, elle réalise qu'elle a été harcelée et peut mettre des mots sur ce qu'elle a subi en 6ᵉ puis en 5ᵉ.

Elle passe d'abord son enfance en Allemagne où son père est militaire. Elle fréquente l'école primaire de la caserne avec d'autres enfants de militaires, comme elle. Jusqu'à ses dix ans, elle vit en cercle fermé, dans un milieu protégé, où tout le monde se connaît et partage les mêmes codes sociaux, chacun ayant une place bien identifiée. Puis la famille démé- nage, son père est muté en France, elle se retrouve dans le 77, à Grigny-la-Grande-Borne, dans un immense collège avec onze classes de 6ᵉ.

« *J'ai été repérée comme la bécassine dès le jour de la rentrée. Je n'avais pas les codes et du coup quelque chose s'est tout de suite mis en place, quelque chose de très sexuel, au niveau des pulsions et de l'identité des jeunes garçons qui avaient besoin d'affirmer leur virilité, d'exercer un certain pouvoir sur les filles. C'est allé crescendo pendant toute l'année de 6ᵉ : tout le temps*

*des mains aux fesses, jusqu'à cinquante fois par jour,
des insultes aussi, et puis des filles un peu masculines
qui prenaient le relais. »*

« *On m'insultait et je ne comprenais même pas ce
que ça voulait dire. Un jour, ils m'avaient traitée de
"gouine", j'avais entendu "couine", j'étais allée chercher
ce que ça signifiait dans le dictionnaire. Je comprenais
que c'était méchant, mais je ne savais pas que c'était
sexuel. Je me suis trouvée vraiment pathétique, j'étais
désemparée et incapable de demander de l'aide. J'en
veux beaucoup aux adultes. J'avais besoin d'en parler
et je n'ai trouvé personne. En fait, on ne peut compter
que sur soi. Vraiment, j'étais seule. »*

Patricia s'est alors littéralement échappée d'elle-
même, coupée de ses émotions. « *On pouvait me
faire n'importe quoi et je ne pouvais plus réagir. Tu
sors de toi, ton corps ne t'appartient plus, on peut en
faire ce qu'on veut, ça ne te touche plus. Il appartient
à tout le monde, pas à toi. En deux ans, je me suis
construit quelque chose comme une énorme carapace. Je
n'exprimais plus rien, plus d'émotions. Je ne pouvais plus
dire : "Ça ne va pas, j'ai besoin d'aide." Ça marque
à vie. Tu vas systématiquement te protéger des autres
parce qu'ils sont hyper dangereux. Les choix affectifs,
professionnels, familiaux, que j'ai faits par la suite sont
très liés à cela. Cette longue période de harcèlement est
aussi en lien avec le discours de mon père qui disait
et qui dit toujours d'ailleurs : "Les autres sont pourris,*

les autres sont méchants, les autres te veulent du mal."
C'est comme si j'en avais trouvé la confirmation au
collège avec le harcèlement. »

Patricia évoque aussi la différence des sexes qui
est fondamentale au moment de l'adolescence et qui
donne lieu à de nombreuses situations de harcèlement. « *Je pense aussi que le harcèlement du garçon*
par rapport à la fille, c'est quand même un moyen
d'exercer une domination masculine avec l'approbation
du monde environnant : "Tu subis la violence, eh bien
c'est pas grave ma petite fille, c'est ça être une femme."
Et c'est ça que je ne supporte pas quand j'entends des
enfants le dire, et que les adultes ne réagissent pas ça
me met en colère. »

Le déni

Patricia avait effacé complètement tous les souvenirs, toutes les représentations liés à cette période.
Comme si elle avait « débranché » pour ne pas dis-
joncter. Elle avait coupé l'affect de la représentation,
comme disent les psychanalystes : « *Comme tu ne*
veux pas te souvenir, parce que c'est difficile, tu effaces
les autres souvenirs liés à cette période. Comme tu n'as
pas envie que ça revienne, tu te débarrasses d'une partie
de ta vie. Cette période-là, je la jette et je ne veux
plus y penser. »

Quand le harcèlement dure trop longtemps et que le harcelé fait face tout seul, l'émotion se détache de ce qui a eu lieu. La représentation est là, l'image aussi, mais celui qui l'évoque se sent en dehors – « *Je n'étais plus dans mon corps, même pas en spectateur* », dit Patricia. Le spectateur d'une telle scène devrait être affecté en la voyant, alors que Patricia, elle, n'arrive pas à réaliser la gravité des faits, elle reste dubitative. L'intensité de ce qu'elle a subi était telle qu'il y a eu clivage, elle s'est littéralement coupée en deux, pour se sauver elle-même. Elle ne minimise pas ce qui est arrivé, elle ne peut tout simplement plus raccorder ce souvenir comme faisant partie intégrante de sa vie. C'est en dehors, c'est froid, comme une partie morte. Le contraire d'une amputation, après l'amputation le membre n'est plus là, mais il arrive qu'on le sente comme s'il n'avait pas été amputé. Dans le cas présent, c'est l'inverse, le bras est bien là, mais on ne le sent pas. Une amputation de l'émotion en quelque sorte.

Dans les cas les plus graves – pour le harcelé, mais aussi et surtout pour le harceleur –, il y a même « scotomisation » c'est-à-dire un effacement total du souvenir. Il ne reste qu'un trou noir, un vide, une absence. Les personnes ne se souviennent pas que le harcèlement a eu lieu, c'est l'entourage qui s'en souvient pour eux. Dans ce cas, on peut parler de traumatisme. L'enfant fait alors appel à des défenses psychiques les plus archaïques sur un mode schizo-paranoïde (voir chap. 6, « La violence à l'origine de la construction de soi »). Cette sorte de trou noir de la psyché est plus courante chez les harceleurs, parce qu'ils n'ont pas l'occasion d'en parler pour en sortir. Souvent ils sont dans l'obligation de se débrouiller tout seuls, soit parce qu'ils sont effectivement très seuls, ou très démunis et mal entourés, soit parce qu'ils sont dans une telle stratégie de détournement de la loi que l'entourage a du mal à percer la carapace, à trouver un passage pour accéder à l'émotion, pour établir ou rétablir un lien moins tordu à l'autre.

Pourquoi le silence ?

Le désarroi de Patricia est encore tangible ; une question demeure cependant. Pourquoi n'est-elle jamais parvenue à en parler ?

« Parce que tu n'arrives pas à identifier une personne qui soit à la fois suffisamment bienveillante et rassurante et qui ait le pouvoir de changer les choses. Moi, je n'ai pas trouvé. En plus, c'était un collège extrêmement difficile, donc les surveillants étaient débordés par la simple gestion de la discipline, ils n'avaient pas le temps, pour moi c'était des personnes qui faisaient appliquer les règles, pas des personnes à qui l'on pouvait éventuellement faire part de ce problème, avec

lesquelles j'aurais pu échanger. Quant aux profs n'en parlons pas... Et puis j'étais très impressionnée par la hiérarchie, j'étais incapable de la solliciter. Je me sentais tellement petite. Je me disais "ça ne va pas les intéresser, et puis ça n'est pas si grave que cela, je ne vais pas les déranger pour ça, je peux survivre". Mais c'était plus grave que je ne pensais. »

Pourquoi Patricia n'a-t-elle pas pu parler à ses parents ?

« Parce que je ne les percevais pas comme protecteurs. Mon père a horreur du conflit, je pense que ça l'aurait mis dans un embarras extrême. Si je parle, soit il intervient et il y a conflit potentiel avec l'établissement ou avec les parents des harceleurs, soit il décide de ne pas agir et dans ce cas-là il va culpabiliser. Donc je ne fais rien. Je préserve mes parents. Je considère qu'ils ne peuvent pas répondre, qu'ils ne peuvent pas me protéger. Par la suite, j'en ai beaucoup parlé avec ma sœur, elle partage le même sentiment, entrer en conflit, ça n'est pas possible. Mon père est militaire, il est dans un rapport de soumission vis-à-vis de la hiérarchie, ça renvoie à son histoire, son père était systématiquement en conflit avec tout le monde. Il s'est retrouvé face à une figure paternelle destructrice, donc pour lui : conflit égale destruction. Pas de conflit, sinon ça veut

163

dire qu'on s'oppose, donc la seule chose à faire pour sauver sa peau, c'est de ne jamais rentrer en conflit avec qui que ce soit. C'est quelque chose que j'avais parfaitement intégré. »

Dénoncer quelque chose du harcèlement, c'est obliger les parents à agir, ce qui peut les mettre en difficulté. C'est pour cette raison que les enfants ne disent rien, et que les parents parfois n'entendent pas. D'autres, au contraire, risqueraient d'être excessifs dans leur réaction : l'enfant n'a pas du tout envie que son père ou sa mère entre en conflit avec l'enseignant ou avec l'école. Ça lui fait peur parce qu'il est appelé à retourner à l'école et ses parents n'y seront pas. Il y sera tout seul. « *Moi, j'aurais bien aimé avoir un père protecteur, j'en rêverais d'avoir un papa qui protège, qui dise : "Patricia, ne t'en fais pas, ça n'arrivera plus. Je vais m'en occuper, ne t'inquiète pas." »*

Autre cas de figure : des parents trop faibles – des parents âgés par exemple – ou décalés dans la perception des choses, quelque chose qui n'est pas tout à fait en phase et que le groupe perçoit instantanément. Là encore, l'enfant ne va pas solliciter ses parents parce qu'il sait qu'ils n'auront pas la bonne réponse, qu'ils ne comprendront pas.

11.

Conseils aux parents

Tous les acteurs du harcèlement – harcelés, harceleurs et témoins – sont exposés à de multiples conséquences.

À court terme : difficultés de concentration, de raisonnement, troubles de la mémoire, notes qui chutent, absences répétées menaçant la réussite scolaire et pouvant conduire à la phobie scolaire, voire à un arrêt prématuré de la scolarité ou à des orientations inadaptées. Le harcèlement peut également entraîner des troubles importants du métabolisme tels qu'un arrêt de croissance ou une baisse des défenses immunitaires de l'enfant. Les conséquences du harcèlement se font très vite sentir pour la victime.

À long terme : une faible estime de soi, des tendances dépressives et une vulnérabilité relationnelle, acquises au cours de l'enfance ou de l'adolescence, peuvent peser sur la vie professionnelle, relationnelle et amoureuse. Les troubles psychiques chez l'adulte, tels que la dépression, les tentatives de suicide, les phobies sociales, les addictions aux médicaments ou aux drogues peuvent être liés à un harcèlement qui a eu lieu à l'école, au collège ou au lycée, et qui a perduré.

D'où la nécessité de dépister le plus rapidement possible les situations de harcèlement.

Le racket, le chantage, la rumeur et les agressions physiques une fois qu'ils sont repérés incitent en principe à réagir rapidement. Cependant, le harcèlement peut prendre des tours plus discrets et plus insidieux mais tout aussi redoutables : tels les moqueries répétées, les remarques désobligeantes, les allusions sournoises, les insultes murmurées à l'oreille, le vol. Ces formes de harcèlement moins spectaculaires et apparemment moins violentes sont loin d'être anodines. Distillées au quotidien, elles peuvent peser lourdement sur la victime. Elles sont à prendre très au sérieux, il ne faut pas les négliger sous peine de laisser passer des situations graves.

Comment repérer une situation de harcèlement ?

Tout signe distinctif physique ou moral peut susciter l'hostilité et amener un élève à se retrouver en place de bouc émissaire : le gros ou le maigre, le petit ou le grand, le nouveau, le garçon efféminé, la fille masculine, le lent ou le rapide, le premier de la classe ou le dernier... tout ce qui sort du rang, tout ce qui dépasse, tout ce qui diffère, peut servir éventuellement de prétexte à la stigmatisation mais ne suffit absolument pas à expliquer le harcèlement qui reste un phénomène imprévisible et aléatoire. Personne n'y est voué d'emblée, il est à la rigueur révélateur dans l'après-coup de certaines fragilités narcissiques, mais en aucun cas prédictible. Cela dit, un enfant seul, sans amis ou en retrait doit inciter à la vigilance, il risque plus facilement d'être désigné comme victime s'il ne l'est déjà.

Il n'est pas facile de détecter le harcèlement. D'abord parce que les agresseurs savent parfaitement s'y prendre pour agir à l'abri des regards : dans la cour de récréation, à la cantine, dans les transports en commun, sur le chemin de l'école, les occasions et les lieux ne manquent pas pour tromper la vigilance des adultes. À l'école, il y a des lieux à risque – vestiaires et toilettes notamment – ainsi que des moments où les victimes sont particulièrement exposées : entrées et sorties de l'école, récréations, pause de la mi-journée, intercours, déplacement de groupe à l'intérieur de l'établissement ou à l'extérieur (sortie de classe, voyage...).

169

À la maison, les réseaux sociaux, virtuels mais bien réels, constituent des vecteurs et des armes redoutables du harcèlement et contribuent à l'amplification du phénomène. Soit parce qu'ils permettent de l'exporter et de l'étendre hors des murs du collège ou du lycée, jusque dans l'intimité du harcelé qui ne connaît alors plus un seul moment de répit ni un seul lieu de repli. Soit parce qu'ils vont au contraire servir à déclencher les hostilités contre un élève en propageant une rumeur ou un élément de sa vie intime.

Mais c'est aussi et surtout la méconnaissance des mécanismes du harcèlement, associée au silence des victimes, qui en retarde dans bien des cas la découverte :

À l'école primaire, il arrive de laisser passer une situation de harcèlement en mettant un peu trop vite les faits et gestes de l'enfant sur le compte des chamailleries ou des enfantillages. Au collège, les adultes peuvent interpréter à tort les difficultés d'un jeune comme la manifestation d'un tempérament peu sociable, ou bien mettre les problèmes de l'élève sur le compte de la crise d'adolescence. Or ce qui caractérise cette crise justement, c'est qu'elle peut mener rapidement à des extrêmes. Chez l'enfant et l'adolescent, tout va très vite dans un sens comme dans l'autre. D'où la nécessité pour les adultes d'être attentifs aux signes de malaise chez l'enfant.

Les signes qui doivent alerter

À la maison comme à l'école, tout comportement inhabituel ou changement physique de l'enfant qui perdure au-delà de quelques semaines doit éveiller l'attention des parents et de l'équipe éducative.

Les retards, l'absentéisme, l'isolement, le vol ou les dégradations de matériel, les troubles liés à l'anxiété et au stress comme les maux de tête, de ventre, les vomissements, les évanouissements, les problèmes de vue, les troubles alimentaires, les troubles du sommeil, les problèmes capillaires, l'eczéma, tous ces symptômes doivent inciter à la vigilance.

Les changements soudains de comportement eux aussi doivent alerter : un enfant qui devient irritable ou colérique, agité, ou incapable de se concentrer. Un enfant qui se met subitement à ne plus vouloir aller à l'école, qui se renferme ou devient au contraire ostensiblement provocant. Un enfant qui a toujours mal quelque part alors qu'il n'a pas de problème de santé particulier. Un enfant qui se plaint de mal dormir, ou qui a les yeux cernés en permanence et les traits tendus. Des traces de coups, enfin, doivent éveiller les soupçons et sont à surveiller, y compris si l'enfant minimise en prétendant qu'il s'agit d'un accrochage isolé, ou bien qu'il s'est cogné...

Ces manifestations ne signifient pas forcément qu'il y a harcèlement, elles sont l'expression d'un

171

mal-être auquel il va falloir remédier. L'important, c'est d'intervenir sans tarder, de parler, de faire parler et de persévérer tant que l'on n'a pas élucidé ce qui fait souffrir l'enfant. « *Il faut toujours aller voir derrière* », recommande la mère de Samir. Or, grande est la tentation de relativiser, d'attendre que ça passe, de tourner la tête, de baisser les bras.

Dans tous les cas, les parents qui remarquent un changement notable chez leur enfant doivent réagir vite et l'interroger. S'il ne dit rien, il ne faut pas se contenter de penser que cela va passer. Tant que leur enfant ne va pas mieux, les parents ne doivent pas renoncer à comprendre ce qui lui arrive. Il faut persévérer, questionner directement ses camarades de classe et leurs parents, interpeller l'école ou le collège, l'instituteur, le professeur principal, le CPE, le proviseur, le directeur, jusqu'à trouver une oreille attentive. Le comportement de l'enfant n'étant pas forcément le même à la maison et à l'école, il est important que les parents, s'ils sont inquiets, puissent s'en ouvrir à l'équipe scolaire ; et, vice versa, que l'école alerte les parents en cas de changement avéré de comportement.

Les parents ont tout intérêt également et simultanément à s'adresser au référent harcèlement de l'Académie. C'est un interlocuteur direct et facilement accessible *via* le numéro vert national. Il conseille et accompagne la famille. Il est là pour assurer le suivi

des situations qui lui parviennent. Chaque établissement se doit de coopérer avec lui si les parents en
font la demande.

En cherchant à identifier l'origine du malaise, les
adultes doivent avoir à l'esprit que le harcèlement
est une possibilité parmi d'autres sans pour autant
interpréter trop vite et le voir partout et systématiquement. Tout n'est pas harcèlement, loin de là. Il
est nécessaire de croiser les regards, de recouper les
informations et de rester ouvert à différentes hypo-
thèses.

Une fois le harcèlement avéré

L'école doit prendre en compte rapidement les
situations préoccupantes, et les traiter au cas par
cas. Si le harcèlement n'est pas pris suffisamment
au sérieux par l'école, ou par une équipe éducative
peu réactive, il faut se tourner vers le référent harcèlement de l'Académie[1] et, en dernier recours, vers
le médiateur de l'Éducation nationale. Si la réponse
apportée n'est toujours pas satisfaisante, ou si les
faits sont graves, il faut se rendre au commissariat
de police et déposer plainte pour l'enfant[2]. Il est

---

1. Numéro vert Stop harcèlement : 0808 807 010
2. Info : http://www.agircontreleharcelementalecole.gouv.fr

important de savoir que toute violence, même légère, est punie très sévèrement par la loi dès lors qu'elle est commise sur un mineur de moins de quinze ans ou sur une personne vulnérable.

Il faut savoir également que les démarches entreprises par la famille auprès de l'école aussi bien que les démarches entreprises par l'école (entretiens, sanctions, procédures disciplinaires…) n'excluent absolument pas le dépôt de plainte auprès de la police. Cette plainte peut dans certains cas rasséréner la victime dans la mesure où elle entérine officiellement la situation. Elle peut aussi l'aider à reconnaître et à mesurer la gravité des actes perpétrés à son encontre, ce qui est important dans la mesure où le harcelé a tendance à minimiser fortement voire à dénier et à douter de la réalité des faits.

Si l'enfant réussit à se confier, si une ou plusieurs personnes proches mesurent la gravité de ce qui est en train de se passer, si ces dernières réagissent rapidement et réussissent à le convaincre de la nécessité d'un accompagnement psychologique, la situation peut évoluer favorablement, l'enfance et l'adolescence étant des périodes très réactives. Dans tous les cas, le suivi de l'élève s'inscrit dans le temps et il n'y a pas de mode d'emploi.

Sanctions disciplinaires et procédures pénales

Lorsqu'un collégien ou un lycéen commet un acte grave à l'égard d'un autre élève, une sanction est prononcée. « *Le règlement peut préciser les différents types de sanctions et peut aussi rappeler que la protection de chaque membre de la communauté éducative implique des devoirs pour tous et le droit au respect pour chacun. Il peut aussi mentionner les droits de l'homme et du citoyen ainsi que le droit des enfants qui stipulent l'un comme l'autre le droit d'être protégé de l'oppression et de la maltraitance physique et psychologique*[1]. »

L'échelle des sanctions va de l'avertissement à l'exclusion définitive, en passant par le blâme, la mesure de responsabilisation, l'exclusion temporaire de la classe ou de l'établissement, qui ne peut excéder huit jours, et enfin l'exclusion définitive de l'établissement – c'est la plus grave et elle est rare. « *Toute sanction doit en principe faire l'objet d'un suivi, les exclusions temporaires ne doivent être utilisées qu'en dernier recours et nécessitent une démarche éducative pour accompagner l'élève sur son temps d'exclusion*[2]. »

---

1. Extrait du site agircontreleharcelementalecole.gouv.fr, site officiel de l'Éducation nationale.
2. *Ibid.*

Pour le harceleur comme pour le harcelé, il est indispensable qu'il y ait un rappel à la loi. Faute de quoi, le harcelé risque de perdre sa confiance en l'autre, en la société et en ses parents. Quant au harceleur, le sentiment d'impunité peut le renforcer dans son narcissisme et sa toute-puissance. Plus il malmène sa victime, plus sa capacité à ressentir de l'empathie diminue, et moins il mesure la gravité de ses actes.

Tout acte de violence doit donc être sanctionné. Cependant, sans un travail de fond et un accompagnement éducatif et psychologique, la sanction ne résoudra pas la situation du harceleur, ni celle du harcelé qui sont l'un comme l'autre des enfants en souffrance.

C'est pourquoi les équipes éducatives ont pour directive d'éviter les exclusions qui ne permettent pas un bon suivi des élèves.

Le renvoi pur et simple peut, en provoquant la rupture avec son cercle de relation, fragiliser davantage le harceleur et l'inciter à répéter ailleurs ce qui s'est produit précédemment. Si rien n'est fait pour l'amener à évoluer, sa situation risque d'empirer.

Pour le harcelé, si l'équipe est attentive, elle consultera les parents et l'enfant, elle devra évaluer si oui ou non elle est en mesure de le protéger. Pour les parents du harcelé, en tout cas, la situation ne souffre pas d'atermoiement – si l'école, le collège ou le lycée tergiversent ou ne prennent pas les mesures nécessaires, mieux vaut changer d'établissement, et faire accompagner l'enfant psychologiquement par un professionnel. Dans les deux cas, la victime comme le bourreau ont absolument besoin de trouver quelqu'un à qui se confier, et cela nécessite un accompagnement psychologique.

Précisons que les procédures pénales et disciplinaires ne s'excluent pas l'une l'autre, elles sont indépendantes. Les parents peuvent donc faire appel simultanément à l'école et à la justice, les deux démarches sont parallèles.

La responsabilité des adultes

À l'école, au collège et au lycée, enfants et ados apprennent à vivre ensemble tout en construisant leur identité et leur personnalité. Il n'est donc pas inconcevable qu'il y ait de l'agressivité, des frottements, des passages difficiles voire dangereux. Le harcèlement fait partie des difficultés qu'ils peuvent rencontrer dans cette période. Il est à prendre comme un révélateur ou un déclencheur de problèmes relationnels que rencontre l'enfant ou l'adolescent.

Les parents et les équipes éducatives ont un rôle déterminant à jouer pour prévenir, ou déjouer le harcèlement : à l'école cela nécessite un climat favorable, une écoute bienveillante avec un projet cohérent, qui ne se contente pas d'égrener des directives, et porté par une équipe animée d'un véritable intérêt à l'égard des tout jeunes citoyens qu'elle accompagne.

Le tissu familial constitue une ressource précieuse : le père, la mère, mais aussi les parents proches (frères, sœurs, grands-parents, oncles, tantes, parrain, marraine...) et les amis, sont suffisamment familiers de l'enfant pour s'apercevoir qu'il a des soucis. L'intervention d'un adulte averti et attentif est indispensable pour que l'enfant harcelé ou harceleur s'en sorte. Les professionnels peuvent être également d'un précieux recours (infirmière, CPE, éducateur, professeur, surveillant, chef d'établissement, psy, entraîneur, directeur de club sportif, etc.). Il ne s'agit pas de chercher à tout prix à faire parler l'enfant, mais de trouver le moment opportun pour lui permettre de sortir de son silence. C'est l'authenticité de la personne qui va faire autorité. Son implication, son tact, sa bienveillance, son écoute et son expérience peuvent gagner la confiance de l'enfant, qui va pouvoir s'en remettre enfin à la protection de l'adulte, ce qu'il attendait sans le savoir.

Chaque situation étant particulière, aucune histoire ne ressemble à une autre. Il n'y a pas une seule façon de résoudre les problèmes que pose le harcèlement. La bonne décision dans un cas n'est pas forcément valable dans un autre. Il est préférable par exemple pour Anatole (voir chap. 10) de rester à l'école, parce qu'il est suffisamment mûr pour se confronter aux difficultés qu'il rencontre avec ceux de son âge, parce qu'il en a les moyens psychiques, et parce qu'il est porté par un environnement favorable. Tandis que pour Samir (voir chap. 9), qui s'est heurté à l'incompréhension de l'institution, il valait mieux changer d'école, le couper radicalement et vite, d'un milieu qui devenait nocif pour lui.

Les parents doivent se faire confiance. Ce sont eux les plus à même de trouver comment sortir de cette mauvaise passe. Les difficultés rencontrées, voire les problèmes graves, ne sont pas à vivre dans la culpabilité comme une faute que l'on aurait commise en tant que parents ou éducateurs, mais comme une épreuve, un passage difficile à traverser, dont on peut sortir plus fort, plus averti, plus libre.

Il est également primordial de respecter l'enfant en souffrance et d'avoir confiance en sa faculté de transformation et d'adaptation. Il est difficile d'obliger un ado ou un enfant à aller consulter, en revanche il est tout à fait possible de lui donner l'information, de lui soumettre cette possibilité, de trouver les professionnels compétents par des amis ou autre personne avisée en qui l'on a confiance.

Il ne faut pas se fier à la première réaction de rejet, ou à l'apparente indifférence de son enfant, il ne faut pas prendre ses réactions premières et propos volontairement provocateurs ou pessimistes au pied de la lettre. Les interventions ne tombent jamais dans l'oreille d'un sourd et portent souvent leurs fruits après coup.

Les attitudes de défi ou les comportements défaitistes de l'adolescent constituent bien plus une manière de mesurer l'implication du parent vis-à-vis de lui, sa ténacité, sa capacité de faire face et de le soutenir. C'est une façon de voir si l'adulte que l'on a en face de soi « tient la route », d'où la nécessité de ne pas s'effondrer à la moindre difficulté.

Si rien ne se passe, si l'ado ne bouge pas, s'il ne souhaite pas consulter, dans un premier temps, c'est aux parents d'y aller : c'est encore le meilleur moyen de prendre du recul. C'est une façon de dégager l'enfant des problèmes de ses parents.

L'école, de son côté, doit représenter la loi sans faillir, il s'agit donc pour l'équipe éducative non pas de surveiller et punir, mais d'assumer une position d'autorité, ce qui, loin d'effaroucher, de casser ou de braquer l'élève, peut lui servir de repère et de garde-fou rassurants dans les moments où il en manque. Cela lui permet d'éprouver qu'il y a un cadre, une règle, la même pour tous, qui tient et qui le protège. S'il y contrevient, il en paie les conséquences.

Prévenir plutôt que guérir

Redoubler de vigilance dans les moments difficiles tels que le décès d'un parent ou d'un proche, la séparation des parents, un déménagement. Toute rupture, tout changement d'environnement peut fragiliser, et ce à n'importe quel âge.

Redoubler de vigilance aux âges charnières comme la fin du primaire et celle du collège qui sont, comme nous l'avons vu, des zones de turbulence et de fragilisation psychiques extrêmes dont les adultes ne peuvent avoir idée. Nous pensons nous souvenir, mais le refoulement a fait son œuvre et le monde que nous imaginons n'a rien à voir avec la réalité de l'élève ou du collégien.

Connaître les fréquentations de son enfant : copains, amis et groupe. Rencontrer si possible leurs parents, c'est un bon moyen de se concerter et de faire circuler les informations, ce sont des personnes à qui vos enfants peuvent s'adresser quand ils hésitent à le faire avec vous, cela peut-être fondamental pour réduire les risques de harcèlement.

CONCLUSION

Dans une société qui espère toujours en finir avec la violence, le jeune harcelé et ses harceleurs nous lancent à la figure le rituel archaïque « du bouc émissaire » et nous mettent sous les yeux ce que nous ne voulons et ne pouvons pas voir : la violence irrémédiable, instinctive et consubstantielle de la relation humaine.

Quel est le ressort caché de cette fatale attraction/répulsion qui aimante le couple harcelé-harceleur ? « Ce qu'il y a de plus facile à observer et à saisir par la pensée, c'est le fait qu'aimer avec force et haïr avec force se trouvent si souvent réunis chez la même personne. [...] Il n'est pas rare que les deux motions affectives prennent la même personne pour objet. C'est seulement après qu'un tel destin pulsionnel a été surmonté qu'émerge ce qu'on appelle le caractère d'un homme[1]. » C'est ce que Freud appelle l'ambivalence affective.

Le harcèlement à l'école, au collège et au lycée nous donne l'occasion d'envisager le problème social à son origine. Il renvoie aux premières séparations, aux premières socialisations, aux racines de notre développement, de notre identité, de notre construction psychique. Il est toujours révélateur de quelque chose qui est resté en souffrance. Il interroge notre façon d'être ensemble. À ce titre il est d'abord à reconnaître, à entendre puis à interroger comme symptôme.

Que dit-il ? De quelle difficulté indicible, ignorée, refoulée, déniée, à quelle histoire « innommable », taboue, douloureuse, à quel secret, à quels fantômes renvoie-t-il ? À quelle question souterraine, à quels nœuds affectifs et relationnels, à quelles peurs, à quelles angoisses ?

Le harcèlement à la récréation nous ramène à l'enfant que nous étions et que nous sommes encore : l'enfant oublié, placardé, bâillonné, humilié, mal regardé, mal entendu. L'enfant triste, ravalant ses larmes, l'enfant honteux ou terrorisé ou encore l'enfant roi, « gâté », à qui on a laissé croire que tout était permis. Le rebelle ou le soumis, celui qui se cabre, celui qui se fait tout petit. Cet enfant parfois

---

1. Sigmund Freud, « Considérations actuelles sur la guerre et la mort », dans *Essais de psychanalyse*, Payot.

s'épuise à porter un fardeau dont il ne mesure même pas le poids, dont il ignore même l'existence.

Nous en venons à interroger les histoires ce ceux qui nous précèdent et que nous portons en nous... Celles de nos parents, fils et filles de nos grands-parents, eux mêmes fils et filles de leurs parents... Aux origines lointaines, incertaines et obscures du harcèlement nous percevons confusément qu'agissent à travers nous les espoirs, les rêves, les drames, les souffrances de ceux qui ont vécu avant nous et que se rejouent les impasses, les erreurs et les ratages des deux lignées dont nous sommes issus.

Nous n'en aurons jamais fini avec la violence, disait déjà Freud en 1915 : « En vérité il n'y a aucune extermination du mal. La recherche psychanalytique montre au contraire que l'essence la plus profonde de l'homme consiste en motions pulsionnelles qui sont de nature élémentaires, qui sont identiques chez tous les hommes et tendent à la satisfaction de certains besoins originels. Ces motions pulsionnelles ne sont ni bonnes ni mauvaises. Nous les classons comme telles, elles et leurs manifestations, en fonction de leurs rapports avec les besoins et les exigences de la communauté[1]. »

Le harcèlement et ses dérives nous rappellent à l'ordre des générations, à notre place de parents, d'éducateurs, à notre rôle d'adulte. Il est urgent de

---

1. *Ibid.*

lui opposer non pas l'illusion d'un monde sans violence, mais plutôt le respect de la culture qui passe
en premier lieu par l'éducation, qui selon les propres
termes de Freud, est « un métier impossible ». Mais
l'attention, le respect et la disponibilité donnés aux
enfants pèsent dans la balance. Cela passe moins par
de beaux discours que par des actes et la modestie
de certains gestes quotidiens. Éduquer c'est garantir
une présence, une sécurité de base et la protection
nécessaire à l'enfant. C'est aussi donner des règles,
des cadres, susciter le désir et la curiosité. Il faut
poser des limites et ne pas laisser les enfants livrés
à eux-mêmes en tête à tête avec la télé ou la play-
station. Sport collectif ou individuel (foot, rugby,
basket, hand, boxe, karaté, escalade, randonnée...),
lecture, musique... Toutes activités sportives, artis-
tiques ou activités de groupe qui permettent de se
dépasser sont indispensables au bon équilibre d'un
enfant. Il y trouve l'occasion de se socialiser dans un
autre cadre que l'école et de transformer une énergie
débordante qui, sans cela, tente de se satisfaire de
façon impulsive, au jour le jour, dans une jouissance
immédiate.

C'est à ce prix seulement que l'enfant pourra
affronter les difficultés sans sombrer dans le silence,
sans prêter le flanc au harcèlement, sans se laisser
influencer par le premier venu qui dicte sa loi. C'est
à ce prix que l'on trouve des écoliers, des lycéens

et des collégiens pour s'élever et réagir contre le passage à tabac ou le harcèlement systématique d'un autre stigmatisé ou rejeté. « Mais pour refuser il faut savoir parler alors arme-toi de courage et travaille bien », avertit le poète libanais Wajdi Mouawad. « [...] Apprends à lire, apprends à écrire, apprends à compter, apprends à parler, apprends[1]... »

---

1. Wajdi Mouawad, *Incendies*, Actes Sud Papiers, 2009.

Petite bibliographie

René Girard, *La violence et le sacré*, Grasset.
Konrad Lorentz, *L'agression*, Champs Flammarion.
Françoise Dolto, *Les étapes majeures de l'enfance*, Folio essais, Gallimard.
Sigmund Freud, *Métapsychologie*, Folio essais, Gallimard.
Sigmund Freud, *Essais de psychanalyse*, Payot.
Jacques Lacan, *Les psychoses*, 1955-1956, Le Seuil.
Melanie Klein, *Psychanalyse d'enfants*, Payot.
Wajdi Mouawad, *Incendies*, Actes Sud.

À voir aussi :

Despuès de Lucia de Michel Franco, 2012, DVD, Bac films.
Récréations de Claire Simon, 1993, DVD, Films d'ici et Arte.
Revenge de Suzanne Bier, 2010, DVD, Swift productions.
Coffret DVD *Françoise Dolto*, 3 films de Elisabeth Coronel et Arnaud de Mézamat, Abacaris Films, éd. Gallimard.

Contacts :

Site officiel de l'Éducation Nationale :
    agircontreleharcelementalecole.gouv.fr
Site du cinéma et de la psychanalyse : Cinepsy.com
Numéro vert Stop harcèlement : 0808 807 010
Net Écoute : 0800 200 000
Fil Santé jeune : 0800 235 236

Remerciements

J'adresse toute ma gratitude aux enfants et aux parents qui ont bien voulu témoigner de leur douloureuse expérience, j'espère porter leur parole sans la trahir.

Merci aux professionnels qui m'ont accordé du temps pour me faire part de leur expérience auprès des écoliers, des collégiens et des lycéens : Jean-François Artige, Véronique Lothe, Patricia Beltzer, Pascal Liger, Elizabeth Reynier, Laetitia Gault, Ingrid Montagne, Dr Armelle Véronesi, Virginie Vaysse, Marc Dreyfuss, Frédérique Chasle.

Toute ma reconnaissance à mon éditrice Muriel Hees qui est à l'origine du projet et qui l'a soutenu avec tact, finesse, exigence et rigueur.

À Karina Hocine dont la confiance et la bienveillance ont permis la parution de ce livre, ainsi qu'à Anne Pidoux et à l'équipe des éditions Lattès.

Toute mon affection à mes amis Marielle Fournier, Anne Fassio, Emmanuelle Franck et Raymond Pronier qui ont su être là au bon moment dans cette aventure.

Merci à Pascal Laëthier, mon mari, premier lecteur, premier critique.

Table

COMPOSITION PCA

ACHEVÉ D'IMPRIMER
SUR ROTO-PAGE
PAR L'IMPRIMERIE FLOCH À MAYENNE
POUR LE COMPTE DES ÉDITIONS J.-C. LATTÈS
17, RUE JACOB — 75006 PARIS
EN JANVIER 2015

JC Lattès s'engage pour
l'environnement en réduisant
l'empreinte carbone de ses livres.
Celle de cet exemplaire est de :
560 g éq. CO_2
PAPIER À BASE DE   Rendez-vous sur
FIBRES CERTIFIÉES   www.jclattes-durable.fr

N° d'édition : 02 – N° d'impression : 87938
Dépôt légal : janvier 2015
Imprimé en France